佐藤卓己
Takumi Sato

あいまいさに耐える

――ネガティブ・リテラシーのすすめ

岩波新書
2026

はじめに――輿論主義《デモクラシー》のために

私たちは今日、デモクラシー democracy を「民主主義」と訳している。だが、明治期の訳語には「万民共治」(加藤弘之)、「平民主義」(徳富蘇峰)、「衆民主義」(小野塚喜平次)があり、大正期には「民本主義」(吉野作造)、「民政主義」(美濃部達吉)なども使われていた。いずれも現実政治では忘れられた訳語だが、いま私が復活させたいと願うのは「憲政の神様」尾崎行雄(一八五八～一九五四年)が提唱した「輿論《よろん》主義」である。

尾崎は第一回帝国議会(一八九〇年)から連続二五回当選、議員勤続六三年の日本記録を打ち立て、「議会政治の父」とも言われている。明治天皇の五箇条の御誓文の第一条「広ク会議ヲ興シ万機公論ニ決スベシ」に示される公議輿論に、尾崎はデモクラシーの真髄を読み取っていた。輿論主義という言葉は第一次世界大戦中の一九一八(大正七)年一月二二日、衆議院の尾崎演説で次のように使われていた。

今や世界には画然たる二大潮流がある、一は輿論民意を主として政治をして行かうと云ふ潮流である。欧羅巴《ヨーロッパ》の政治家は之を民主主義と云ふて居る、吾々は輿論主義若くは公論主義と云ふのである、それに反する者は武断武力を恃《たの》みにして、武断専制で行かうと云ふ主義である。

この演説で尾崎は日本がデモクラシーを唱える連合国側で参戦し、専制主義のドイツ帝国と交戦しているにもかかわらず、ときの寺内正毅内閣は専制主義であると批判している。もちろん、この輿論《よろん》(公的意見 public opinion)を尊重するデモクラシーは、世論《せろん》(大衆感情 popular sentiments)に迎合するポピュリズムとは異なっている。

戦後日本の世論調査研究をリードしてきた西平重喜の『世論をさがし求めて——陶片追放から選挙予測まで』(ミネルヴァ書房・二〇〇九年)から引用しておこう。西平は福地源一郎『幕末政治家』(民友社・一九〇〇年)で「輿論」が四回、「世論」が一四回使われていることを確認し、こうまとめている。

あえていえば世論は世間の評判、多数意見というニュアンスであるが、輿論は各種の意見を想定し、時には少数だが合理的な意見を重視する場合に使われているようだ。

しかし、大正期には選挙権の拡大にともなう政治の大衆化の中で「輿論の世論化」は急速に展開した。特に、一九二三年関東大震災後の大衆政治状況で「液状化した輿論」(本書第二章を参照)は、一九三〇年代以降の戦時体制下で「気体状の輿論」、いわゆる「空気」となり、敗戦後の一九四六年に当用漢字表で「輿」が制限漢字となったため「セロンと書いてヨロンと読む世論」となって今日に至っている。私は『輿論と世論――日本的民意の系譜学』(新潮選書・二〇〇八年)などで、世論(空気)を批判する足場として輿論(意見)を取り戻すこと、その前提として輿論と世論をもう一度、使い分けることを提唱してきた。

本書はこの輿論主義(デモクラシー)のためにはリテラシー(読み書き能力)よりも、ネガティブ・リテラシー(消極的な読み書き能力)が必要だと、いま私が思うにいたった筋道を跡づけている。そのため、世論駆動の「ファスト政治」、震災後の「メディア流言」、安保法制をめぐる「デモする社会」、「情動社会」における「快適メディア」といった二〇一〇年代以降の出来事を振り返るメディア社会の同時代史になっている。「私」のオピニオン形成のプロセスを記述することで、脱文脈的で言いっ放しのウェブ論壇とは異なる思考のスタイルを示したかった。

一方で、ひとつの非常時である「現代」への即応性を強く意識している。というのは、新書という形式が「非常時の出版革命」の中で登場したことをメディア史家として意識するためだ。岩波新書は一九三八年、日中戦争勃発の一年後に「現代人の現代的教養」を謳って刊行された。そのとき岩波新書に求められていたのは、岩波文庫における古典の不朽性ではなく、現代への即応性だった(拙著『物語 岩波書店百年史2』岩波書店・二〇一三年を参照)。

そのため今回は、新型コロナウイルスによるパンデミック後も続く非常時への対応を特に意識した。それは世界的な「二〇二四年 選挙イヤー」という時間、フェイクニュースがあふれる「ポスト真実」の空間、つまり「いま・ここ」に向き合うことである。とはいえ歴史家である私にできるのは、高速化するメディア社会において「バックミラーを覗きながら前進する」(マーシャル・マクルーハン)ことだけである。それでも、二一世紀のいま「現代人の現代的教養」はどうあるべきか、その問いにできる限り誠実に応えたいと思った。そのため「二〇〇九年の政権交代選挙」以降に自分が書いたメディア関連の時評・時論を読み返した。その結果、行きついた対処法がAI時代に必要とされる「ネガティブ・リテラシー」なのである。詳しくは第六章で論じるが、あらかじめ簡単にその定義を示せば次のようになる。

ネガティブ・リテラシーとは、あいまい情報を受け取ったとき、あいまいなまま留め置き、その不確実性に耐える力である。より具体的には、SNSなどにあふれる情報を必要以上に読み込まず(やり過ごし)、不用意に書き込まない(反応しない)だけの忍耐力と言ってもよい。情報を真/偽に二分するのはAIが最も得意とするデジタル思考である。AI時代に求められる人間力とは、そうした白/黒、善/悪、利/害、優/劣の判断を急がず、あいまいな状況と向き合う耐性思考だからである。

目　次

目　次

第一章　ファスト政治

自民党から民主党への政権交替期(二〇〇九年九月〜二〇一二年一二月)の世論状況について、まずその直前に書いた新聞時評三本の採録から始める。二〇〇九年八月三〇日に行われた第四五回衆議院議員総選挙について、その前と後に私がどのような意識で投票にのぞんだかを示す記録である。

二〇〇八年九月に成立した麻生太郎内閣(自公連立政権)は、二〇〇九年七月二一日に衆議院を解散し、八月三〇日に投票が行われた。麻生内閣の支持率は各種世論調査で一〇%台まで落ち込んでおり、政権交代が強く意識される選挙戦が展開された。その結果、鳩山由紀夫を代表とする民主党が選挙前一一五議席の三倍に迫る三〇八議席を獲得した。他方、自民党は改選前三〇〇議席を一一九議席に減らす大逆転劇となった。民主党の議席占有率六四・二%は、単一政党の議席占有率としては現憲法下で行われた総選挙でも空前のものとなった。ここに、二〇〇九年九月一六日、民主党・社会民主党・国民新党の三党連立内閣(民社国連立政権)が誕生した。鳩山内閣の支持率は発足当初七〇%を超えていたが、鳩山首相や小沢一郎幹事長の「政治とカネ」問題、普天間基地移設を巡る混乱もあって支持率は急降下し、翌二〇一〇年六月八日に退陣した。その後も同じ民主党首班内閣は、菅直人内閣が二〇一一年九月二日まで、野田佳彦内閣が二〇一二年一二月二六日まで続いた。この民主党政権は三代、三年三カ月で幕を閉じ、後継政権として自民党首班の第二次安倍晋三内閣が成立した。つまり、二〇〇九年の総選挙は今世紀の日本で自民党が下野した一度かぎりの「政権交代」選挙である。

第1節は、この政権交代直前に書いた三本からなる。投票日の約一月前、国会解散の直後に書いたメディア時評「報道も〝世論〟批判する勇気を」(『民間放送』二〇〇九年七月二三日号)、総選挙公示後に書いた「総選挙の選択基準――輿論か世論か見極めを」(『中国新聞』二〇〇九年七月一八日など、共同通信社配信論説)、投票の二日前に書いた論説「「失望」ある政治、認めよ」(『毎日新聞』二〇〇九年八月二八日)である。この三つの文章については、タイトルのみ入稿時の原題に戻し、本文は時制をふくめ掲載時のまま手を加えずに採録した。この選挙に向けた私の視線の動きを正確に示すためである。

第2節は、この政権交代から半年後の「マニフェスト選挙の消費者感覚」『私たちの広場』（第三一〇号・二〇一〇年一月）である。

第3節は、さらに一年後に書いた「「いま、ここ」での即決迫るファスト政治の危うさ」（『公明』第五八号・二〇一〇年一〇月）である。同時期に書いた「「輿論の世論化」とファスト政治」（『都市問題』東京市政調査会・二〇一〇年九月号）もあるが、紙幅が大きい前者を採録する。

なお、第1節以外に収載した文章では、初出時のものから重複部分を削除し、読者の理解を深めるために表現を補っているが、初出時の論旨は変更していない。

1 政権交代選挙前、私はこう書いた(二〇〇九年七・八月)

世論調査報道と解散予言の自己破綻(二〇〇九年七月二三日)

「一一月に行われる総選挙に向けたメディアリテラシーに関する原稿をお願いします。」某新聞社から依頼を受けたのは、昨年(二〇〇八年)九月だった。この解散予測はほぼすべてのメディアが共有していたが、実際には解散は行われず、その原稿も幻となった。

この(二〇〇九年)六月末に同じ記者から「総選挙は八月上旬と見込まれています。解散直後の締切りでお願いします」と、再び原稿の依頼があった。引き受けたものの、「八月上旬」の見込みは正直あまり信用していなかった。実際、今日(七月一三日)のテレビニュースは一斉に「八月三〇日投票」の確定を速報している。ぎりぎり八月とはいえ、その「見込み」に及第点を与えることはできない。

一寸先は闇の政界とはいえ、メディアの解散予測はなぜ外れるのか。テレビのコメンテータの解説を聞いている限り、予測は多分に期待の表明である。「予言の自己成就」を意図した発言も少なくない。ある状況が起こりそうだと考えて人びとが行動すると、そう思わなければ起こらなかったはずの状況が実際に生起してしまうことを、社会学者R・K・マートンはそう名付けた。マートン自身は銀行の支払不能の噂が預金者のパニックを引き起こし実際に経営破綻に至る事例を挙げている。

メディアの解散予言が自己成就しない理由は、同じメディアが行う世論調査、特に内閣支持率のためだろう。皮肉と言えば、皮肉な現象である。早期の解散を予測するメディア側の期待感に、世論調査の回答者は正確に反応している。早期解散への空気を読む人びとが「内閣を支持する」と答えるはずはないのである。

私は個人の意見に基づく輿論（よろん）public opinion と世間の空気である世論（せろん）popular sentiments を区別することを提唱しているが、この意味では内閣支持率は「よろん」調査ではなく、「せろん」調査である。

もちろん、私自身も特別給付金のような選挙目当てのバラマキに走った麻生政権に同情するつもりはない。だが、仮に昨年政権交代が実現していたとして、民主党政権がリーマン・ショック以後の世界不況を見事に克服できたと考えるほど楽天的にはなれない。

いずれにせよ、「次の首相にふさわしい人物」の調査結果を見ても、世の空気が政権交代であることは明確である。かくして、早期解散を期待するメディアは毎週のように内閣支持率を報じ、解散日程の予測を行ってきた。この世論調査報道が結果的には解散・総選挙を今日まで出来なくしてきたといえないだろうか。

永田町は内閣支持率の変動に過剰反応し、政局は「世論次第」となっている。世論調査の数字が解散の封印となっていた。低い支持率で解散に踏み切ることは政治的自殺である。つまり、メディアの予言＝期待は世論調査を通じて自己破綻していたのではないか。

敢えて正論を言えば、総選挙で問われるのは一時的な気分転換ではなく国家百年の大計である。輿論(意見)のために世論(空気)を批判する勇気が報道にも必要である。

マニフェスト選挙のメディアリテラシー(二〇〇九年七月一八日)

昨年秋から何度も「近々解散あり」と予想されつつ、ほぼ一年が経過した。選ばれる候補者も、選ぶ国民も、もう待ちきれないというのが正直な気持ちだろう。

しかし、今回の総選挙は日本の将来を大きく変える可能性をもつ「政権選択」選挙であり、はやる心をあえて抑え、慎重に判断すべきだろう。

「選択」に際しては分けがたく絡み合ったものを敢えて切り分ける二分法の思考が必要となる。拙速の判断を戒める上で、ウィルバー・シュラムの古典的論文「ニュースの本質」(一九四九年）の議論はいまだに有効だ。シュラムは人びとがニュースに求める期待を、「快楽原理による即時報酬」と「現実原理による遅延報酬」に分ける。スポーツ、娯楽、スキャンダルなど読んで面白い記事は即時的な快楽をもたらすニュースである。一方、政治、経済、文化関連の記事は時に退屈だ。しかし、こうした味気のないニュースこそ、人びとを日常の現実に向き合わせ、やがて現実世界での成功に導く。より良き社会への発展には、この遅延報酬のニュースが必要なのである。

選挙投票の判断にも、この即時報酬と遅延報酬という区別は有効である。人気タレントを候補者とする話題作りは露骨な快楽原理だし、特別給付金のごときバラマキは即時報酬の典型である。

そもそも、日本社会が今日の豊かさを実現できたのは、快楽原理を抑えて遅延報酬を重視したためではなかったか。たとえば、教育は遅延報酬の理想モデルである。高い知性は退屈な学習訓練なくして生まれない。だが、今日の教育現場では「学びの楽しさ」ばかりが強調されている。同じような遅延報酬の軽視は、長期的な貯蓄より目先の投資に熱中する個人の資産運用から、雇用の即戦力化や開発研究費の削減に走る企業経営にまで見受けられる。こうした風潮こそ、「ためのない」社会の元凶だろう。

各党が発表するマニフェストを吟味する際にも、その公約が即時報酬型か遅延報酬型かを見極めるべきである。即時報酬型の、つまり気晴らし的な政権交代願望なら、長い目で見て有害だ。政権交代という理想そのものを貶《おとし》めるからである。それを避けるためにも、選挙報道を読む際、そこにあるのが輿論（よろん＝公的意見）なのか世論（せろん＝世間の空気）なのかを区別するよう努めたい。明治期には使い分けられていた輿論 public opinion と世論 popular sentiments は、大衆社会化とともに「輿論の世論化」が加速した。世論を「よろん」と読ませる現状で、空気の暴走を批判する輿論（言論）の足場は失われている。

そもそも、小泉内閣以後の首相が世論（人気）調査の結果で選出されたという事実をもう一度直視すべきである。空気を読んだに過ぎない世論は熱しやすく冷めやすい。一方、公議輿論という言葉に象徴されるが、公《おおやけ》に時間をかけて議論された意見は時間に耐える。つまり、遅延報酬型の期待が輿論であり、即時報酬型の期待が世論である。もちろん、現実には両者を明確に分けることはむずかしい。にもかかわらずというより、だからこそ、いま自分が選ぶべき基準が輿論なのか世論なのかを絶えず自らに問いかける思考の枠組みは必要である。それこそが民主主義のメディアリテラシーなのだから。

失望を受け止める政治的思考を(二〇〇九年八月二八日)

歴史的な「政権選択」選挙だという。各種の事前調査を見る限り、今回の投票結果で国会風景が一変することは確実のようだ。だが、私の周辺を眺めても、四年ぶりの総選挙に大きな高揚感は感じられない。選挙につきものの「お祭り」気分にはほど遠い。

それは民主党への追い風が与党への「失望」からであって、野党への「希望」からではないからだろう。さらに祝祭的気分を抑制しているのが、マニフェスト(政権公約)の浸透だろうか。それは有権者の「消費者」化を促したように見える。そもそも、新聞やテレビで示されるマニフェスト分析は、まるで自動車や住宅の購入者に向けた性能・価格の対照表のようだ。むろん、マニフェストを比較吟味した「政治的消費行動」は、地縁・知名度だけで投票するよりはるかに望ましい。

しかし、有権者の消費者化に懸念がないわけではない。商品広告と同様に選挙も期待感の争奪戦である。そのため、人びとの期待値は絶えず引き上げられる。このため結果が期待を上回ることは、そもそも非現実的だ。その意味で政治に失望は不可欠である。

そのため、有権者の失望を最小限にとどめる政治技術は古くから考えられてきた。たとえば、古代ローマにおける「パンとサーカス」である。消費財もサービスも使用後には跡形なく消え去り、失望や懸念のはけ口となるような物的痕跡を残さない。この点では必ず失望を生む「道路と安全」とは対極的である。形が残るハコものは、利用者からは安普請、不便と、非利用者からは贅沢、無駄と必ず不満の声があがるだろう。ローマ皇帝が大衆の支持を取り付けたのは「道路と安全」ではなく、バラマキとサービスであったことは留意すべきだろう。そしてローマの繁栄は「パンとサーカス」のゆえでなく、「道路と安全」のゆえにあったことも忘れてはならない。

しかし、失望を回避する政治は「パンとサーカス」に熱中する。そして、短期的にはそれが有効なのだ。消費者感覚では誰しも即時的快楽を優先しがちだからである。この視点で各党のマニフェストを見ると、「パンとサーカス」的色彩は濃厚である。それは野党(民主党)の方が顕著だとしても、与党(自民党)においても五十歩百歩というべきだろう。

だが、政治的成熟のためには、消費者感覚から離れて失望と向き合うことも必要なのではないだろうか。そもそも、失望のある政治は不健全ではない。失望は希望を抱いた人間のみが体験する感情だからである。失望を排除しようとする政治こそ危険なのだ。その典型は永続的な熱狂を人びとに強制した全体主義である。政治における失望は希望がもたらす高揚感の代価として決して高いものではない。

いま必要なのは、もし民主党が政権をとったときに、「何が期待できるか」を考えるよりも、「何に失望するのか」をまず先取りして考えておくべきことだろう。それこそ失望の次にまた来る希望への思考である。つまり、それが政権交代の思考なのである。

＊　＊　＊

この二〇〇九年の八・三〇選挙で民主党は大勝利をおさめ、民主党政権は支持率も七割超でスタートしている。ところが一年足らずで支持率は二割に急落した。こうした世論の急速な加熱と冷却が、これ以後の日本政治を「世論調査政治」へと大きく変えていったといっても過言ではない。

この二〇〇九年総選挙は当時「マニフェスト選挙」と呼ばれた。確かにこの「政権交代選挙」で民主党の掲げたマニフェスト（図1-1）は注目されたわけだが、本当にマニフェストの選挙だったのだろうか。

図 1-1　2009 年総選挙で民主党が掲げたマニフェスト

2　マニフェスト選挙の消費者感覚（二〇一〇年一月）

マニフェスト（公約文書）というイタリア語manifestoを耳にするようになって以来、この選挙用語は繰り返し解説されてきた。それでも、「明白な」を意味する英語manifestのことだと誤解している国民も少なくないだろう。有権者がマニフェストに「明白な」データを求めたことは事実である。「豊かな生活」や「明るい社会」といった抽象的スローガンを各党が掲げ、候補者の名前の連呼と握手攻勢の選挙運動は望ましいものではない。特に冷戦崩壊後、自民党から共産党まで「革新」や「変革」を唱え、政治のわかりにくさは極点にまで達していた。

その意味で任期中に何を実現するのか、つまり短期目標を明示する試みとして、マニフェストは新聞やテレビでも好意的に報じられてきた。しかし、日本で最初に導入された地方自治体レベルはともかく、国政選挙では数値目標や達成期限の一方的設定が困難な争点も少なくない。在日米軍問題や北朝鮮問題といった相手のある外交案件などはその典型だろう。そもそも、マニフェストで安全保障と子ども手当や高速道路無料化が同列に並べられるべきかどうかも疑問である。

「賢明な消費者」としての有権者？

だが、私がマニフェスト選挙に懐疑的である最大の理由は、その「明白さ」が有権者の消費者化、さらに議会制民主主義の空洞化を招きかねないからである。先の選挙中、最も衝撃的だったのは、自民党が自らのマニフェストを「買い物」用エコバックに印刷した映像である（図1―2）。身近な生活者政党だ、とでもアピールしたかったのだろうか。こうした広報戦略は有権者を行政サービスの受け手（消費者）という現状に安住させ、公議輿論の担い手（有権者）としての責任感をますます希薄化させていないだろうか。

図1‒2　自民党のマニフェストがあしらわれた買い物バック

実際、新聞やテレビで示される各党のマニフェスト分析は、まるで自動車や住宅の購入者に向けた性能・価格の対照表のようだった。もちろん、マニフェストを比較吟味した上での政治的消費行動は、地縁・知名度だけで投票するよりはるかに望ましい。しかし、こうした消費者感覚化によって引き起こされる弊害にもっと目を向けるべきではないだろうか。

現在のマニフェスト選挙が想定する有権者像は、数値目標を吟味する賢明な消費者である。消費者とは自らの判断で商品を選び、市場での選択(貨幣による投票)によって自らの好みをその生産者に要求するものだ。しかし、こうした古典派経済学の理想モデルが単純に現代のメディア政治 mediacracy に応用できるだろうか。メディアが支配力をもっている政治体制を意味する「メディアクラシー」という新造語は、今日『広辞苑』にも採録されているが、「メディア」という言葉がそもそも中立的な「情報媒体」ではなく「広告媒体」の意味で使われ始めた広告業界用語であることを私たちは忘れてはならない。メディアが「広告媒体」であるとすれば、メディアクラシー(広告媒体政治)において有権者が「消費者」として扱われることは必然である。その際、消費者(有権者)の需要(欲求)は広告媒体によって創出され、市場(投票)はあらかじめ操作されたものにならないだろうか。

その上で「箱ものは作らない。直接家計を支援する」と謳う民主党マニフェストを読むと、それが消費者個人にターゲットを絞っていることは自明である。つまり、国の財政支出を基盤整備や公的組織を媒介とした伝統的な間接給付から、子ども手当や農家への戸別所得補償など直接個人への利益給付に切り替える発想である。こうした中間団体を排除した直接給付方式への流れに対して、天下り官僚や既得権への反発もあってか批判の声は少なかった。この結果、有権者は消費者目線での投票を求められることになった。しかし、直接給付方式が前提としているのは、あくまでも消費者という賢明な個人である。もちろん、子ども手当を自分の遊興費に費やす親など論外と切り捨てたとしても、社会は本当に強い個人だけで構成されているかどうか。しかも、賢明な消費者という主体イメージは、民主党マニフェストが否定する小泉政治の市場至上主義と奇妙に重なって見える。

そもそも、私たちが賢明な消費者であることはそれほど簡単なことではない。いくぶん改善されたとはいえ、私にとってマニフェスト本文は保険契約書の約款説明文のように感じられる。つまり、普通の人は表紙を眺めるくらいで、説明文など読まないのだ。だとすれば、マニフェスト冊子は表紙のポスター機能しかないともいえる。それでも、新聞では各党マニフェストの内容がきれいに比較されているので、読んだ人もいるだろう。しかし、それで正しい選択が本当に可能だろうか。

「パンとサーカス」か、「道路と安全」か

多様な情報が与えられれば消費者は必ず適切な判断をするとは限らない。アメリカの心理学者レオン・フェスティンガーは認知活動とメディア接触の関係について「認知的不協和の理

論」を唱えた。新車の購入者は、購入時に比較検討した他車の情報に接することを無意識のうちに回避する傾向がある。つまり、ある選択をした人は、自らの判断の正当性と認知的一貫性を守るために、その選択が誤っていたことを示す「不協和な」情報には眼をつぶり、都合の良い情報を与えるメディアのみに気を配りがちなのだ。

こうした消費者の人気を獲得するためには、第一印象が最も重要となる。そのためマニフェストへの期待値は限界までつり上げられる。しかし、政治において結果が期待を上回ることは稀《まれ》であり、政治に失望はつきものだ。そのため、有権者の失望を最小限にとどめる政治技術が考えられてきた。たとえば、古代ローマにおける「パンとサーカス」である。パン(消費財)もサーカス(サービス)も使用後には跡形なく消え去り、失望や懸念のはけ口となるような物的痕跡を残さない。この点では必ず失望を生む「道路と安全」とは対極的である。形が残る箱ものは、利用者からは不便、非利用者からは無駄と必ず不満の声があがる。使用されることなく老朽化する軍備も、消費者の目には無用の長物と映る。

結局、マニフェスト選挙は「パンとサーカス」の政治に堕ちやすいという事実を私たちは肝に銘じておくべきだろう。その上でローマの繁栄は「パンとサーカス」のゆえでなく、「道路と安全」のゆえにあったことも歴史の教訓として忘れてはならない。マニフェストの読みどころは、消費者の私的利害を超えた「道路と安全」の公共性なのではないだろうか。

３　ファスト政治と世論調査民主主義（二〇一〇年一〇月）

「心を思いやる暇がない」高速社会

内閣支持率の乱高下、それと連動する慌ただしい政局を横目で眺めながら、スティーヴン・バートマン『ハイパーカルチャー――高速社会の衝撃とゆくえ』（ミネルヴァ書房・二〇一〇年）を読了した。原著が刊行された一九九八年は、インターネット検索会社グーグルの創業年（日本法人設立は二〇〇一年）であり、フェイスブック（二〇〇四年〜）やツイッター（現在はX、二〇〇六年〜）の利用拡大から流行語となった「ウェブ2・0」以前である。それでも、そこに日本の現在を読み取ることは可能だろう。社会の高速化は人々の関心を「いま、ここ」に集中させ、過去を振り返る余裕も、さらには未来を展望する意欲さえも消し去っている。また、情報テクノロジーは記憶を感覚へ、洞察を衝動へと電子化してゆく。その結果、いまやアメリカ民主主義は空洞化の危機に瀕していると、バートマンはいう。

我が国でも「高速社会」批判は早くから存在していた。私の記憶に残るのは、辻村明編著

『高速社会と人間――果たして人間はどうなっていくのか』(かんき出版・一九八〇年)である。とはいえ、「通信の速度」として同書で論じられたのはまだ電信電話であり、インターネットはおろかパソコン通信さえ言及されていない。当時の日本にはファストフード店が存在しない地方都市さえも少なくなかった。ちなみに、ファストフードの代名詞となる日本マクドナルドの一号店が銀座三越店内にオープンしたのは一九七一年である。速度の善と美を疑う人はまだ少なかった時代である。一九六〇年生まれの私も、「はしれちょうとっきゅう」(山中恒作詞)を口ずさんだものだ。

ビュワーン　ビュワーン走る
青いひかりの超特急　時速二五〇キロ
すべるようだな　走る

しかし、この高速性にいち早く疑念を呈した人は当時も存在していた。『高速社会と人間』の扉には谷川俊太郎「急ぐ」が刷り込まれている。この詩人が新幹線に乗った際の作品である。

こんなに急いでいいのだろうか
田植えする人々の上を　時速二百キロで通り過ぎ
私には彼らの手が見えない　心を思いやる暇がない

しかし、高度経済成長の次なる目標、高度情報化に邁進していた一九七〇年代以降の日本社会は、さらなる高速化をひたすら追求してきた。コンピュータ技術の発展と相まって「タイム・ラグ(時間のずれ)のある社会」は「リアル・タイム(即時・同時)の社会」に変貌した。つまり、空間的に遠い場所とのやりとりには時間と手間がかかるという感覚はなくなり、空間的距離を無視してリアル・タイムで進行する「実況政治」も始まった。この政治手法において、小泉メールマガジンから鳩山ツイッターまでは一直線であり、その高速化に何らかの断絶が存在したとはいえない。ウェブ上で実況されたファスト(高速)政治――その明暗が即決即断の事業仕分けとタイムリミット設定の普天間基地問題だが――にも、確かに「彼らの手が見えない、心を思いやる暇がない」。慎重な審議や粘り強い交渉よりも、仕分け会場や記者会見でのパフォーマンスこそが「見ごたえある政治」となる。

いずれにせよ、即決をせまるファスト政治は有権者、すなわち視聴者にリアルな参加感覚を与えるために実況を必要とするのである。その「参加なき参加感覚」からすれば、観客民主主義とも呼べる政治である。それが最小限の労力で疑似「国民投票」を可能にする世論調査と結びつくのは自然なことである。実際、「内閣支持率が二〇%を割れば政局」という常識は、広く国民にも浸透している。なるほど一〇%台の内閣支持率では次の選挙に勝てないという認識は間違っていない。そのため、党首交代を求める声が与党内で発生する。小泉純一郎内閣退陣後の、短命政権は、内閣支持率が、より正確にはその報道が引き起こした現象と言えるだろう。（参考までにその在職日数を付記する。第一次安倍晋三内閣は三六六日、福田康夫内閣は三六五日、麻生太郎内閣は三五八日、鳩山由紀夫内閣は二六六日だった）。日本の首相はアメリカや韓国の大統領と異なり、「任期」がない。そのため、現状では内閣支持率という「人気」バロメータが「任期」を自動的に決定している。

世論（せろん）政治はファスト政治

内閣支持率など世論調査報道によって加速化する政治を、私は「ファスト政治」と評した（「内閣支持率とファスト政治」『東京新聞／中日新聞』二〇一〇年六月一五日夕刊）。そもそも世論調査とは二〇世紀の観客民主主義において、大衆の声を政治に反映する「合意の製造」（ウォルター・リップマン）装置として開発されたものである。

科学的な世論調査の始まりは一九三五年ジョージ・ギャラップによるアメリカ世論研究所設立とされている。その政治利用は同時期にニューディールを掲げたルーズヴェルト政権下で飛躍的に発展した。長期化する議会審議を打ち切って法案を通すべく、民意の科学的根拠として世論調査結果が利用された。それは大統領が直接ラジオで呼びかけて「参加なき参加感覚」を国民に与える炉辺談話と不可分の「合意の製造」システムである。

第二次世界大戦への参戦に向けた総力戦体制の中で、慎重な政策論議よりも迅速な政治行動が必要とされていた。その意味では「ＹＥＳ」か「ＮＯ」か二者択一を、統計的な民意を背景にせまるファスト政治は、ファシズム時代の産物といえる。つまり、「非常時」政治たるニューディール・デモクラシーは、即断即決を求める戦争民主主義に他ならない。こうした世論動員のニューディール批判は、連合軍総司令部（ＧＨＱ）の占領が終わった直後から日本にも存在していた。統計学者・上杉正二郎は「世論調査のはなし」（『産業月報』七・八月号・一九五三年）でこう書いている。

アメリカの世論調査はリンカーンの民主主義ではなくルーズヴェルトの民主主義以後の産物であつた。〔略〕「世論調査によると」という口実が、議会の存在に代つて重要となる。

〔傍点は引用者〕

「議会の存在に代って重要となる」世論調査も、決してＧＨＱが日本にはじめて持ち込んだものではない。戦時中から日本でも世論調査は行われていたが、もちろん「リンカーンの民主主義」のためではなく「ルーズヴェルトの民主主義」、すなわち市民参加ではなく大衆動員のためである（詳しくは、拙著『輿論と世論』の第二章「戦後世論の一九四〇年体制」を参照）。

ちなみに、ファストフードの代名詞「マクドナルド」の創業も同じルーズヴェルト政権下の一九四〇年である。野戦食の効率化が、食事のファストフード化を加速させた。それは世論調査についても言えることで、ハーバート・シラー『世論操作』（青木書店・一九七九年）は戦時体制下における世論調査の発展をこう総括している。

マーケティングの必要が世論調査の生みの親だとすれば、戦争は調査技法の開発をうながす育ての親だった。第二次大戦の勃発によって、世論調査の技法にお誂《あつら》え向きのさまざまな情報ニーズが生じた。

マーケティング（市場調査）との関連でいえば、世論調査がアメリカで始まった一因は、ラジオがヨーロッパや日本のような公共放送ではなく、商業放送として始まったためである。ラジオという広告媒体の効果は新聞、雑誌のように発行部数で計測できないため、クライアント（依頼者）への説明材料としてラジオ聴取を示す統計数値が必要とされた。実際、G・ギャラップ、E・ローパー、A・クロスレーなど世論調査会社の創業者はいずれもマーケティング業界の出身である。結局、政治の「世論調査主義」と放送の「視聴率至上主義」はコインの裏表である。どちらも、観客（オーディエンス）の「思考」ではなく「嗜好」を計量するシステムなのである。

世論調査は国民投票か？

一九三〇年代のアメリカで発展した世論調査民主主義は、戦後日本にもアメリカ占領軍によって持ちこまれた。アメリカ側の政治的意図については、井川充雄「もう一つの世論調査史——アメリカの「広報外交」と世論調査」（『マス・コミュニケーション研究』第七七号・二〇一〇年）が的確に要約している。

〔日本で〕USIA（合衆国情報庁）の実施した世論調査は、まさに巨大な国家権力の行使として捉えることができる。そこにおいては、世論調査の回答者は、決して政治的主体としての主権者ではなく、宣伝にさらされ、説得され、効果を測定され、操作される客体に他ならない。

それにもかかわらず、というよりそれゆえにこそ、世論調査は「国民投票」の簡便な代用として喧伝された。世論調査が主権者である国民の声を政治に生かすための疑似国民投票であるという建前は、今日でも一般に流布している。しかし、こうした世論調査民主主義は議会制民主主義と原理的な齟齬をきたしていないだろうか。世論調査≒国民投票ですべての案件が決定できるならば、代議制、つまり自分に代わって議論してもらう制度は不要となる。

インターネットが普及した今日、電子端末による日々の国民投票など技術的にはたやすいはずだ。ファスト政治の究極の姿はそれである。それでも私たちが「ウェブ世論」の民主主義に懐疑的な理由は、普通の生活者がさまざまな政治案件を十分に熟考できるとは考えていないからである。

わかりやすい例で考えてみよう。夕食時に電話のベルが鳴り、唐突に「首相にふさわしい政治家」や「憲法改正の是非」を問われたとする。唐突な質問に対しては、周囲の空気を読むことで無難にやり過ごすのが普通だろう。つまり、日頃マスコミが報じている多数世論をオウム返しに回答する人が少なくないのである。こうして増殖する雰囲気の合算が、どれほど統計的に正確であっても、それを「民意」と見なすことは理性的だろうか。しかも、この世論「調査」を世論「操作」にすり替えることはさほど困難なことではない。

「輿論の世論化」というファシズム

こうした世論調査主義に対して有権者が冷静に向き合うために、私は『輿論と世論』などでヨロン（意見）とセロン（気分）の区別を訴えてきた。

今日、英語の public opinion は中国、台湾、韓国など漢字文化圏で輿論(舆论)と表記されるが、一九四六年告示の当用漢字表で「輿」の字を制限した戦後の日本でだけ「世論」が使われ、それが「よろん」と湯桶読みされている。

だが、そもそも輿論(よろん)と世論(せろん)は別の言葉であった。輿論は「多数の意見」を示す漢語だが、世論は仏典などに使用例はあるものの、明治期日本で使われるようになった新語である。当然ながら、現代中国で「世論」は使われていない。

明治新語として「世論」を立項する惣郷正明・飛田良文編『明治のことば辞典』(東京堂・一九八六年)では、初出例に福澤諭吉『文明論之概略』(一八七五年)が挙げられている。福澤が責任ある公論(輿論)と世上の雰囲気(世論)を区別していたことは確かだが、政治における意見と感情を区別する発想は日本独特ではない。むしろ、近代民主主義が誕生したヨーロッパ政治の伝統に淵源することを谷藤悦史は、「世論観の変遷――民主主義理論との関連で」(『マス・コミュニケーション研究』第七七号・二〇一〇年)で一七世紀市民革命期の思想家ジョン・ロックの議論を例に論じている。

ロックは、人々の行動を規制する社会勢力としての「世論ないし世評の法」と、政治社会の成立と運営を導き出す正当性の根拠として「輿論」を別にして、包括的に議論していたのである。

もちろん、ロックの時代に目指されたのは、議会における「世論」から「輿論」への結晶化である。しかし、一九世紀になると、「理性に導かれた集合的な同意としての輿論」は、「快苦に基づく個人の意見としての世論」に転換したと、谷藤はその変質を指摘している。

だとすれば、一九世紀後半に明治天皇が発した勅語の用例はまさしく同時代的である。五箇条の御誓文(一八六八年)で「広ク会議ヲ興シ、万機公論ニ決スベシ」と表現された公論とは、公議輿論の短縮語である。輿論は尊重すべき公的意見を意味した。一方、軍人勅諭(一八八二年)の「世論に惑はず、政治に拘らず」が示す通り、世論とは暴走を阻止すべき私的心情である。つまり、明治期において輿論は政治的正統性の根拠であるが、世論は熱しやすく冷めやすい「空気」であり、政治の攪乱要素と考えられていた。

しかし、一九二五年普通選挙法成立に至る「政治の大衆化」の中で、理性的な討議より情緒的共感を重視する「輿論の世論化」がはじまった。もちろん「輿論の世論化」は、日独伊ファシズムに特有な現象ではない。むしろ、先に述べた通り、科学的世論調査が生まれたアメリカこそ、第一次世界大戦に始まる総力戦体制のシステム化で先頭を走っていた。つまり、マス・コミュニケーションと世論調査は観客民主主義の有権者に参加感覚を与える合意形成システムとして編成されたものなのである。

「ネット世論」は不信のバロメータ

お手軽な参加感覚という意味では、各新聞社の調査で傾向《トレンド》がほぼ一致する「世論調査」結果とは大きく異なる「ネット世論」にも注目が集まってきた。特に、それはマスメディアの世論誘導を批判する論拠として引用された。二〇一〇年九月一四日投票の民主党代表選挙は菅直人首相と小沢一郎前幹事長の一騎打ちだったが、「菅首相より小沢新首相　サイト調査で圧倒八割」(スポニチ・八月二八日)、「世論調査と逆　小沢氏〝ネット人気〟の理由とは」(共同通信・九月一〇日)など新聞でもネット世論が紹介されている。たとえば、ヤフー「みんなの政治」アンケート(九月一日開始・一二日現在)の小沢支持六三%・菅支持二五%などである。

こうしたネット世論調査は希望者が勝手に回答する方式であり、サンプリング処理がないため統計的には無意味な数値である。世論調査の専門家からすれば、「興味本位のおもしろさ以上に考えることは極めて危険である」ということになる(遠藤薫「「ネット世論」という曖昧」『マス・コミュニケーション研究』第七七号・二〇一〇年)。

さらに、世論を厳密な世論調査から得られた数値だと定義するならば、次のような批判も妥当だろう。

ネットに世論がある、世論が表出されていると想定すること自体、バカげている。「ネット世論」という言葉も不適切で、「ネット小言」あたりに言い換えたほうがよい。（菅原琢『世論の曲解』光文社新書・二〇〇九年）

こうした「ネット世論」の怪しさにもかかわらず、それがマスメディアの世論調査を批判する対抗物として提示されていることは重要である。つまり、「ネット世論」の盛り上がりはマスメディアの世論調査とその報道に対する不信感のバロメータなのである。

「はなはだ迷惑な議論」

ここでは「世論と世論調査」を特集した日本マス・コミュニケーション学会編『マス・コミュニケーション研究』第七七号（二〇一〇年）の論文三本をすでに引用した。学会レベルでは私が提唱してきた「輿論／世論」の区分が一定の理解を得ていることが確認できる。一方、同じ特集号の峰久和哲「新聞の世論調査手法の変遷」には次の一節がある。

一部の学者たちが「輿論」「世論」を峻別して論文を書くようになった。民意のあり方を深く論じる「思考実験」としては実に優れたものであり、多くのことを学ぶことができた。

まずは称賛したい。しかしながら、世論調査を実施し、報道する立場のものにとっては、はなはだ迷惑な議論である。現代の日本人が使っている「世論」は、ただ単に「輿論」の「輿」の字を「世」に代えただけのものである。軍人勅諭に使われた「世論」は死語である。〔傍点は引用者〕

朝日新聞編集委員・峰久和哲は世論調査センター長などをつとめた調査の専門家であり、私も同氏の論説によって多くを学んできた。世論調査実務の第一人者から「はなはだ迷惑な議論」と評されたことも大変な名誉と受け取るべきだろう。ただ、調査報道の送り手に対して、その受け手としてのリテラシー教育を構想している私との立ち位置の違いは大きい。それでも、尊敬するジャーナリストにこの場を借りて応答させていただきたい。

まず指摘しておきたいことは、戦後「輿論」の代用として「世論」の採用をリードしたのが、毎日・朝日の二大新聞社だったという歴史的経緯である。『「毎日」の三世紀』別巻（毎日新聞社・二〇〇二年）はこう記述している。

当時の本社輿論調査部員・宮森喜久二が「輿論」から「世論」への切り替えを朝日新聞に提唱し、共同歩調をとったことが統一使用のきっかけとなった。〔略〕従来、「世論」は戦時中、「世論（せろん）にまどわず」などと流言飛語か俗論のような言葉として使われていた。これに対して「輿論」は「輿論に基づく民主政治」など建設的なニュアンスがあった。

この意味では表記の「世論化」を主導した責任は、まず新聞社自身が自覚するべき問題である。朝日新聞社は一九四五年一一月七日の有名な社告「国民と共に立たん」と同時に、次の社説を掲載している。

天下の公器を自称する新聞が、今後激流に棹《さおさ》し、あくまで国民輿論の指導機関たるの役割を果すためには、先づ自らの戦争責任を明かにしなければならぬこと論ずるまでもない。

〔傍点は引用者〕

だが、「国民輿論の指導機関」、あるいは「輿論指導」という理想は、「輿」の字の退場とともに紙面からは消えている。「輿論指導」が「世論指導」に置き換え可能だと当時の編集委員が考えたとは思えない。軍人勅諭を死文化すれば、議論が終わるという問題ではないのである。

高次リテラシーとしての「輿論／世論」

「世論」の代用の結果、「よろん」という理想的響きを残した世論調査の数値が、あたかも国民投票の結果のごとく議論の正統性を裏付けるものとして新聞紙面で利用されてきたのではなかったか。世論調査を自ら批判的に検討する足場として、調査による数値化が困難であっても、規範的「輿論」は必要だと私は考えている。

それは認知心理学における批判的思考の新しい知見と重ねて理解することも可能だろう。批判的思考とは「自分の思考の質を改善する思考法」であり、情緒的にはたらく「直観的思考」との対比で理解されている(楠見孝編『現代の認知心理学3　思考と言語』北大路書房・二〇一〇年)。もちろん、批判的思考は分析や反省に時間的コストがかかるので、目的志向的な努力が不可欠である。それゆえ、現実の「高速社会」で私たちは自動化された直観的思考に流されがちなのである。しかし、そうした衝動的態度は政治においてのぞましいものではない。熟慮的態度への発展を促すためにも、高次「世論」としての「輿論」は必要なのだ。

だが一方で、国民「感情」そのものは政治の重要ファクターである。それを軽視して大衆政治は成り立たない。そのためにも、現行のセロン調査を「国民総感情」調査と割り切った科学的分析が必要なのだ。そうした試みの一つは、萩原雅之・マクロミル総合研究所所長が提唱している「世論観測」である。萩原は「世論調査に期待されているものと測定しているものが異なる」ことを指摘した上で、「感情的で移ろいやすいとされる世論」をはかる調査を、景気や気象の観測になぞらえている(「オンラインサーベイによる「世論観測」の試み」『日本世論調査協会報「よろん」』第一〇七号)。具体的には、インターネットで毎日一千人を対象に内閣支持率、支持政党などを問うと同時に、一日をふり返らせて八つの感情・気分項目（うれしい・楽しい・やすらぐ・わくわくする・悲しい・腹が立つ・憂鬱な・不安になる）から該当するものを選択させている（日本世論調査協会 二〇一〇年度研究大会研究報告「オンラインサーベイによるデイリー世論観測とその活用について」）。ポピュラー・センチメンツである「世論」の計量分析として優れた試みだ。

こうした精緻な「感情」調査とは別に「意見」調査の方法も新たに構想されるべきだろう。私たちは明治維新のスローガンだった公議輿論にいま一度思いを致すべきではなかろうか。公に熟議する時間の中で生まれる輿論は、移ろいやすい世論調査の数値とは別物である。もちろん、輿論の計量化はむずかしく、公議輿論への道も至難だろう。だが、その理想を失ったジャーナリズムに世論を批判する足場はないはずである。

第二章　メディア流言

二〇一一(平成二三)年三月一一日に東日本大震災が発生した。津波による甚大な被害に加えて、福島第一原発のメルトダウンにより「戦後」ながらく続いた安全・安心の社会意識は瓦解した。そのため「災後」という言葉がにわかに脚光を浴びた。それはテレビの地上波アナログ放送が終了する約四カ月前のことである。テレビ地上波のデジタル化は放送と通信の融合を象徴する出来事だが、それは液状化した輿論と空気である世論を融合させた「よろんと読む世論《せろん》」のテレ・ポリティックスをますます加速させたようである。

第1節は、震災後最初に書いた時評の一つ「「想定外」の風土」(『信濃毎日新聞』二〇一一年五月一六日)である。民主党・菅直人内閣は、まさしく「想定外」の対応に追われる中で急速に内閣支持率を下落させて総辞職となり、二〇一一年九月二日に野田佳彦内閣が成立した。

第2節は、そうした政局を眺めながら書いた時評「危機予言とメディア・リテラシー」(『月刊化学』二〇一一年一〇月号)である。こうした風評問題を考える中で、私はやがて『流言のメディア史』(岩波新書・二〇一九年)にまとまる連載を開始している。

第3節は、その流言研究の契機となった「「災後」メディア文明論と「輿論2・0」」(御厨貴・飯尾潤責任編集『「災後」の文明』阪急コミュニケーションズ・二〇一四年)である。東日本大震災とその「災後」世論をメディア史的に振り返った論考だが、初出時の「朝鮮人来襲」流言の記述は『流言のメディア史』の第二章「活字的理性の限界」の内容と重複するのですべて割愛した。

ここでは時計の針を一世紀ほど巻き戻して関東大震災以後の輿論の液状化、さらにその気体化、すなわち世論化を促したラジオ文明から、現在のウェブ文明を展望している。

1　「想定外」の風土(二〇一一年五月)

これまで東日本大震災に関する新聞へのコメントや寄稿を断ってきた。まずメディアが耳を傾けるべき相手は被災地に近い研究者なのである。第三者が被災者の目線で見ることの絶望的な難しさを、私は一六年前の阪神大震災で身をもって知った。

それでも、今回の震災が社会に及ぼす影響については無関心ではいられない。現代化の起点ともいえる一九二三年関東大震災当時の文献を読み始めた。まず三宅雪嶺「震災関係の心理的現象」、速水滉《ひろし》「流言蜚語の心理」などが掲載された『思想』(岩波書店)同年一一月号である。この特集号で最も印象深かった論説は、後に『風土』(一九三五年)を著す和辻哲郎の「地異印象記」である。『風土』によれば、「モンスーン的風土」の日本においては豊穣だが凶暴な自然環境の中で受容的かつ忍従的人間類型が形成されたという。和辻は震災記をこう書き起こしている。

大正一二年頃関東地方に大地震がある、といふことを或る地震学者が預言したと仮定する。その場合、今度のやうな大災害は避けられたであらうか。

答えは否だ、と和辻は断じる。実際、多くの死者を出した安政江戸地震（一八五五年）、明治東京地震（一八九四年）に続く大地震がいずれ発生する可能性は当時も広く知られていた。しかし、それに備えた防火対策は採られなかった。

何故なら人間は自分の欲せぬことを信じたがらぬものだからである。〔略〕百年に一度といふ風な異変に対しては、人々は出来るだけそれを考へまいとする態度をとる。

つまり、想定外とされてしまう。今回も、政府や東京電力の担当者は「想定外」を繰り返した。それを無責任と批判することは容易である。だが、地震発生メカニズムの研究が飛躍的に進歩した現在でも、私たちはその危機性を自分自身の問題として想定していると言えるだろうか。「想定外を想定せよ」は響きの良い正論だが、実際には多くの困難が伴う。

私たちはいずれ必ず死ぬのだが、毎日死を想定して生きることは難しい。むしろ、死を忘れて生きている。そうした弱い人間が、「想定外を想定する」ことには別の危険性も潜んでいる。たとえば、流言蜚語の影響である。

関東大震災では、朝鮮人が放火し暴動を起こしているという流言がひろまり、大規模な虐殺事件が発生した。リベラルな知識人である和辻さえ、この流言を信用し、自ら木刀を持って張り番に立ったと書いている。和辻は次のように回顧している。

事前には油断し切つて危険の上に眠つてゐた。その危険が現前すると共に、人々はその危険に対して必要以上に神経過敏になり、その恐怖心を枯尾花《かれおばな》に投射してそこに幽霊を視た例も少なくなかつた。

震災前には大地震を想定しなかった人びとが、震災後はいかに突飛な噂でも否定すべき証拠がないというだけで想定外にのめり込んだ。危機において想定外は歯止めを失う。今回は放射能の風評被害を除けば、極端な流言蜚語は耳にしなかった。それは日本社会の成熟として高く評価できる。いずれにせよ、想定外を論じるのは、危機の最中ではない。それが去った後になお想定を試みること、その意志の持続こそ大切なのである。

2　危機予言とメディア・リテラシー(二〇一一年一〇月)

京都では毎年八月一六日、お盆に戻ってきた死者の魂を再びあの世へと送り出す伝統行事、「五山送り火」が行われる。今年はその一つ「大文字」で、東日本大震災の津波で流された陸前高田市の松の割木を護摩木に使う計画だった。しかし、大文字保存会には割木が福島原発事故の放射能で汚染されている可能性を訴える不安の声が寄せられた。そのため調査で放射性物質は検出されなかったものの、一旦は中止と発表された。この結果、「被災地差別」との抗議が京都市に殺到し、保存会は一転して受け入れを決めた。しかし、再び現地から届いた割木からは微量の放射性セシウムが検出され、最終的に送り火での使用は断念された。鎮魂の行事にそぐわない後味の悪い結末となった。

この騒動でも多くの流言がウェブ上で飛び交った。社会心理学では、一般に流言(Rumor)の広がりは R＝i∝a の公式で説明する。つまり、受け手における当該情報の重要性(importance)と裏付けとなる情報の曖昧さ(ambiguity)の積に比例して流言は拡散する。生死に関わる情報の裏付けが取れない場合に、流言の拡散は極大化するわけである。放射能汚染は確かに命に関わる重大事であるが、微量のセシウムがどの程度に有害なのかは放射線疫学者の間でも意見がわかれていた。まさに、流言の拡散にとって最適な状況だったと言える。だが、この騒動が注目された背景には、近年の急速なソーシャルメディアの普及もあるだろう。放射能汚染におびえる声も被災地感情を無視した対応への怒りも、新聞やテレビなどマスコミよりもツイッターやフェイスブックなどで流通していた。特に放射能汚染に関しては、「マスコミが隠蔽している真実」などの文言が付けられて流通したものも少なくない。ここに情報化社会における流言対応の難しさが集約されている。

高校における教科「情報」を含め、メディアリテラシーの必要性は繰り返し強調されてきた。たとえば、「テレビ・ニュースは批判的に〝読み〟ましょう」、「新聞で何が報道されていないかを考えましょう」、こうした問いかけはメディアリテラシー教育の基本であり、正論でもある。しかし、マスメディアが発信する情報を批判的に検討する態度が、ある状況ではデマ、つまり「悪意ある流言」の拡散を促す可能性も存在する。もちろん、悪意ある流言はリテラシーをさらに高い水準に設定すれば退けることができると言えるだろう。しかし、それでも「善意に由来するデマ」を退けることは難しい。最悪の事態を想定する危機予言に接した人は、「用心にするに越したことはない」と回避行動を取る可能性が高いのである。人間の心理にはネガティブな情報を優先する傾向(negativity bias)があり、危機予言に飛びつきがちだ。こうした自らの回避行動に同調者を募ることは、必ずしも悪意から生まれるとは言えないだろう。

結局、流言は人間がコミュニケーションする過程で善悪にかかわらず必ず発生するノイズである。その発生を防ぐことは原理的に不可能である。だとすれば、その発生を前提として混乱を最小限にとどめる情報システムの構築が求められる。そのためには、まず国家による情報公開の拡充、さらにそれを報じるメディアの信頼性向上が求められる。今回の放射能汚染への過剰な反応も、人びとが行政広報に抱く疑心暗鬼、さらにはそうした不満に十分に応えてくれない新聞、テレビなどマスコミへの不信感に由来するとも言えるからだ。その意味で、流言は国家やマスコミへの信頼性を測るリトマス試験紙なのである。とはいえ、正確な情報が提供されれば、いつでも国民は正しく行動できるだろうか。パニックを恐れて、国家が情報開示に慎重になるということもあるだろう。こうした国民と国家の緊張関係が完全に解消されることはありえない。そうしたリアルな現状を前提にしたメディアリテラシー教育が必要なのである。

3 「災後」メディア文明論と「輿論2・0」(二〇一四年二月)

「災後」のメディア流言

二〇一一年三月一一日に発生した東日本大震災は、「新しいメディア環境」の到来を強く印象づけた。ツイッター、フェイスブックなどウェブ上の双方向的CGM(コンシューマー・ジェネレイティッド・メディア)が旧来の一方通行的マスメディアを超克する技術として注目されたため、「ソーシャルメディア元年」とも言われた。確かに震災直後、電話がつながりにくい状況での安否確認手段として、あるいは「官制=管制」報道への不満解消の手段として特にツイッター利用の拡大は顕著だった。震災当日のツイート数は通常の一・八倍に増えたという。また福島原発事故に関しては、新聞、テレビが「ただちに人体に影響はない」と政府見解を繰り返していた一方で、インターネット上にはドイツ気象庁の放射性物質拡散予測などがアップされたが、そうした専門性の高いサイトへ人々を導いたのもソーシャルメディアだった。このため、マスメディア社員もソーシャルメディアで情報や画像を収集する作業に追われ、彼ら自身のツイート（つぶやき）も公認されていった。こうした流れの中で時間、空間の制限なく誰でも自由に発言できるソーシャルメディアに直接民主主義のアゴラ（広場）を夢見る声も「災害ユートピア」（レベッカ・ソルニット）の中でこだましていた。

しかし、一方でウェブ上には古典的な流言蜚語、あるいは買い占め行動や風評被害を引き起こしたデマ情報もあふれていた。それについては、荻上チキ『検証 東日本大震災の流言・デマ』（光文社新書・二〇一一年）、関谷直也『風評被害——そのメカニズムを考える』（同）などが手際のよい整理を行っている。こうしたウェブ上の流言が従来の口コミ中心の「うわさ」と異なるのは、その発生と普及においてメディアが果たす役割が格段に大きいことだろう。以下ではこうした現代の流言を「メディア流言」と呼ぶが、それはニュースの「正確さ」を看板にするマスメディアと、「あいまい」な性格を持つうわさの複合体である。一般にマスメディアは客観的ニュースを伝えるものと理解されており、その信頼性ゆえに強力な影響力を発揮してきた。

そのため、口コミ流言においても「友人の新聞記者によれば」、「NHKにいる知人に聞いたのだが」というフレーズが内容の信憑性を高めるために使われることも多かった。

それにしても「災後」にニューメディアが注目されたのは、大震災が瞬時に広域で混乱をもたらすため切実な情報欲求が国民規模で生まれたからである。実際、わが国のメディア史で「ニューメディア」登場は大震災の記憶と不可分である。例えば、関東大震災後の流言による朝鮮人虐殺などもあって、震災からわずか三カ月後、一九二三年一二月二〇日、逓信省は無線電信法にもとづき「放送用私設無線電話規則」を制定している。実際のラジオ放送開始は二年後、一九二五年三月二二日(今日の「放送記念日」)となったが、今日に至るまでラジオは災害報道の中核的メディアとして認知されている。

また、日本における「インターネット元年」も一九九五年一月一七日の阪神・淡路大震災に重ねて記憶されている。もちろん、Windows95(インターネット接続を前提としたマイクロソフト社のOS)の発売が同年であったことも大きいが、震災後のボランティアでパソコン通信が使われたことなどが新聞やテレビで大きく取り上げられた。つまり、東日本大震災と「ソーシャルメディア元年」の連想は、阪神・淡路大震災と「インターネット(あるいはケータイ)元年」、さらに関東大震災と「ラジオ放送元年」という記憶の古層の上に成立している。

「災後」の国民感情(世論)をメディア史から考察する本節においては、ニューメディア論という系譜の出発点である第一次「災後」、すなわち関東大震災後におけるメディア流言の記憶からまず検討を始めたい。流言研究は主に社会心理学者、文化人類学者によって発展してきたが、関東大震災の流言研究は日本近代史研究者による研究も蓄積された領域である。特に、震災後の「朝鮮人来襲」デマによって多数の人びとが自警団に殺害された事件は注目されてきた。この「メディア流言」と虐殺事件について、尾原宏之『大正大震災——忘却された断層』(白水社・二〇一二年)が大変に鋭い指摘をしている。この朝鮮人虐殺事件は被災者が助け合う「人情美」が横溢した社会、いま風にいえば「災害ユートピア」のなかでは不都合な出来事だった。そのため、国家権力の犯罪を告発する歴史研究者もこの事件をアナーキスト大杉栄虐殺と同様に警察と軍隊の陰謀として片付け、自警団の民衆をプロパガンダに操られた「被害者」として扱うことが多かった。しかし、実証研究のためには、「権力が民衆を操作し狂わせた」という先入観を取り払い、政治参加を求めた民衆が「主体的に朝鮮人を虐殺し(彼らを保護する)警察を襲撃した」、その意味では民衆内の「自治精神の芽生え」として考えてみることが必要なのだ、と尾原はいう。この視点に立った上で、自らも自警団に加わった芥川龍之介の「大震雑記」は読まれるべきだろう。

再び僕の所見によれば、善良なる市民と云ふものはボルシェヴィツキと〇〇〇〇〔不逞鮮人〕との陰謀の存在を信ずるものである。もし万一信じられぬ場合は、少くとも信じてゐるらしい顔つきを装はねばならぬものである。〔傍点は引用者〕

液状化した輿論

さらに震災から半年後、芥川が書いた「侏儒の言葉」（『文藝春秋』一九二四年四月号）の輿論批判を見てみよう。

輿論は常に私刑であり、私刑は又常に娯楽である。たとひピストルを用ふる代りに新聞の記事を用ひたとしても。又輿論の存在に価する理由は唯輿論を蹂躙する興味を与へることばかりである。

ここで重要なのは、芥川が輿論（ヨロン）に世論（セロン）を重ね合わせていることである。もっとも一九四六年公布の当用漢字表で「輿」が制限漢字とされた日本社会では、「輿論」は一般に「世論」と表記され「ヨロン」と発音する人が多数派となっている。

輿論と世論の対比で言えば、輿論にかかわる四字熟語「公議輿論」に対して、世論にかかわるものとして「曲学阿世」を挙げてもよいかもしれない。『史記』儒林伝にある轅固の言葉に由来し、学問をねじ曲げ世間におもねる態度を戒めて使われる。戦後政治史では一九五〇年、西側連合国だけのサンフランシスコ講和に反対してソビエト連邦や中国を含む全面講和を主張した南原繁東大総長を吉田茂首相が「曲学阿世の徒」と批判したことで有名になった。明治期にこの阿世が「世論に阿《おもね》ること」と理解されていたことは、一九一二（明治四五／大正元）年の天皇機関説論争以後、新聞各紙から「曲学阿世」とバッシングされた上杉愼吉・東京帝国大学教授の弁明で確認できる。

　我輩を曲学と云ふのは仕方がないが、現に世論に反対して居るのに阿世とは少々ひど過ぎるではないか。〔傍点は引用者。「上杉愼吉関係文書」、今野元『上杉愼吉』ミネルヴァ書房・二〇二三年より再引用〕

この文章を声に出して読んでいただきたい。それでも世論は「よろん」と読めるだろうか。阿世を「あよ」とは誰も読まない以上、世論は「せいろん／せろん」でなければ意味が通じないのである。世論が「せろん」であり、輿論、公論と区別されていたことは自明である。なお、上杉自身が美濃部との論争を総括した「予の国体論と世論」（『太陽』一九一三年一月号）では、世論にすべて「せろん」のルビが付されている。

念のために、上杉の論敵だった美濃部達吉が昭和初期に発表した論文「治安維持法改正の緊急勅令」（『経済往来』一九二八年八月号）も引いておこう。この改正で国体変革の「為にする行為」も処罰（目的遂行罪）の対象となり、最高刑が死刑となったが、美濃部は「緊急勅令に対する二様の反対論」を実質（極刑をふくむ厳罰化）に対する世論の反対、形式（議会でなく勅令による改正）に対する輿論の反対に分けて論じている。昭和になっても、美濃部は輿論と世論を次のように使い分けていた。

此の緊急勅令の発布に対して、世論の反対が極めて甚《はなは》だしかつたことは、何人も知る通りである。緊急勅令といふ制度は、甚だ濫用せられ易い制度で、殊に日本では是れ迄にも濫用と認むべき場合が甚だ屢々《しばしば》有つたが、併し緊急勅令の発布に対して、輿論の反対の斯くまでに激しかつたのは、是れまで嘗て例を見なかつた所である。〔傍点は引用者〕

そうした法律論での使い分けは残ったとしても、関東大震災で噴出したメディア流言と虐殺事件が「大衆の政治参加」の一側面だと考えれば、芥川がいう「私刑としての輿論」は「政治の大衆化」が必然化する「輿論の世論化」の帰結だった。こうした国民感情（世論）の制御メディアとして期待されたのが当時のニューメディア、ラジオ放送だった。社団法人東京放送局JOAKが放送を開始するのは一九二五年三月二二日だが、それは普通選挙法が成立する七日前のことである。その意味で第一次「災後」体制の三本柱として普通選挙法、治安維持法にラジオ放送を数えることも可能だろう。

ラジオ文明論の明暗

実際に普通選挙が実施されたのが一九二八年であるのと同様、ラジオ聴取の大衆化もスピーカー付真空管受信機が普及する二〇年代末からである。そうした本格的普及に先だって発表された二つの「ラジオ文明論」を、ここでは「災後」メディア論として検討しておきたい。いずれも第二次「災後」(阪神・淡路大震災)でインターネットについて、あるいは第三次「災後」(東日本大震災)もソーシャルメディアに関して繰り返されている議論の原型だからである。

極めてオプティミスティックな新城新蔵「ラヂオ文明」(『東京朝日新聞』一九二五年八月一四日)と、その真逆というべきペシミズムに満ちた室伏高信「ラヂオ文明の原理」(『改造』一九二五年七月号)である。そこから第一次「災後」の人々がどのような期待と不安をもってニューメディアを迎えたかを読み取ることができる。メディアの発展は技術的・経済的要因よりもむしろ、こうした期待と不安により大きく規定されている。

新城新蔵は一九二九年に京都帝国大学総長に就任する宇宙物理学者だが、そのラジオ文明論はまさしくメディア進歩史観の典型である。新城はラジオ放送が「有閑階級の娯楽や相場師の道具」に止まることなく、誰でも自由勝手に聴ける「民衆的普遍的」放送たることを要求する。もともと万人に公開の空間に電波を伝達せしめて居るので、これを一定の加入者のみに限つて聴かせようといふのは根本的に間違つて居る。

電波の公共圏は普通選挙法の国民的公共性と重ねて理解されていたわけである。そのためラジオ放送は「国家又は地方自治体其他の公共団体が経営する」べきだとも新城は主張している。公益社団法人として設立された東京、大阪、名古屋の三局は、一九二六年に合併されて社団法人・日本放送協会となっている。しかし、新城のラジオ文明論の面白さは、それがポスト文字社会論であることにある。ラジオ放送が発展すれば印刷メディアはおろか文字文明までも不必要となるとし、そのため印刷用紙の無駄もなくなると展開するあたりは、昨今の電子書籍論者のエコロジー感覚と酷似している。意外に思えるのは、この当代きっての教養人に「文字」や「文筆」への執着がまったくないことである。新聞の速報はことごとくラジオ・ニュースに取って代えてよい、と新城はいう。

一体言葉に現したる思想をわざわざ複雑なる符丁にて記録し更にこれを読みて再び言葉に翻訳し其意味を了解するといふのは甚だしく廻りくどい方法で現代的ではない。

文字は情報伝達、意志疎通、つまり人と人とのコミュニケーションの手段であって、文字そのものが何かの目的ではない。文字を使わずにコミュニケーションが可能なのに、なにゆえ読み書きを教える必要があるのか、と。もちろん、文字には記録性があり、歴史のために不可欠だという反論にも、新城は返答を用意している。保存が必要な言葉はレコード化して蓄音機で聴けばよい、と。

レコードが今日の印刷書物の如くに軽便になり、蓄音機とラヂオ受信機とを両のポケットに携帯し得るになつたとすれば、我々は一切の文字を無用の長物として一掃することが出来、文字によらざる実質的文明は更に長足の進歩を見るに至るであらう。

スマートフォンまで連想させる議論である。しかし、今日のウェブ文化も実際には圧倒的に「文字」を媒介としており、その点では新城のポスト文字社会はいまに至るまで実現してはいない。また京都で執筆されたためか、この楽観的なラジオ文明論に関東大震災の影響を読み取ることはできない。新聞、雑誌、書物など文筆的公共圏で育まれてきた市民的輿論の揺らぎにも、芥川が告発した災後「輿論」の暴走にも、新城は一切触れていないのである。

他方、室伏高信の「ラヂオ文明の原理」は、第一次「災後」の文明論とともに『文明の没落・土に還る』(田舎社、一九二九年)に収められた一篇である。室伏はまずラジオ放送を第一次世界大戦が必然化した世界革命の烽火《のろし》として政治的に理解している。

世界戦争に於ける無線の需要、従ひて真空球の利用の発達は、無線的新世界のために、一つの刺激と機会を与へたものである。

この「無線的新世界」ではまず海底ケーブルを独占した大英帝国の情報支配が無力化する。それは「蒸気の世紀」一九世紀の覇者であったイギリスの個人主義的階級文化を破綻させるというのだ。「電気の世紀」二〇世紀にはイギリス文化帝国主義の象徴だった高級新聞『ザ・タイムズ』なども「ラヂオの祭壇に捧げらるべき第二の子羊」だという。

新聞紙が明日伝へるところのものをラヂオは今日伝へるのである。新聞紙が一つの地方に伝へるところのものをラヂオは世界に伝へるのである。

新聞紙が伝えるのは「生ける現実」ではなく「死せる過去」、「ニュース」ではなく「歴史」であり、「今日」ではなく「昨日」である、という。また新聞紙は一九世紀の地方的小社会の要求であり、二〇世紀の高度文明の原理はラジオによる世界的統一である、と室伏は断じる。ラジオ文明においては「凡《すべ》ての個人的なるものが滅びて集団的なるものが凱歌をあげる」のであり、議会主義、自由主義など一九世紀的な政治概念はすべて空洞化する。

こゝに人々は最早《もはや》如何なる治安維持法も、如何なる特別なる言論圧迫の方法も必然ではない。凡ての支配階級はラヂオを支配し、それによつて思想を支配することが可能であるからである。

もちろん言論統制は一九三〇年代を通じて強化されたわけであり、室伏の予測は一九二〇年代の現実からなお距離があった。しかし、現実に進む情報統制への先見性という一点において、このラジオ文明論は今日のウェブ文明論がお手本としてよいものだ。その上で、室伏がラジオ文明の原理を「凡てのものゝのラジオ化」としてとらえていることに注目したい。

ラヂオ文明とわれ〴〵が名づくるところのものは、精神の、人間の、そして凡てのものゝのラヂオ化を意味する。

ラジオ化した輿論

だとすれば、輿論もラジオ化するはずである。「ラジオ化した輿論」とは、フェルディナント・テンニースが『輿論批判』(一九二二年)で示した「固体―液体―気体」の枠組みでは「気体状の輿論」であり、今風に言えば「空気としての世論」となる。それはまた第一次「災後」に芥川が直面した「私刑としての輿論」でもあろう。

以上で紹介した第一次「災後」のラジオ文明論は、楽観的であれ悲観的であれ、まだラジオ受信機がほとんど一般に普及していない一九二〇年代の未来予測であった。しかし、そうしたラジオへの期待は先行する活字メディアにも反映されていた。すでに一九二四年元旦号で一〇〇万部発行達成を宣言していた『大阪毎日新聞』と『大阪朝日新聞』は、ラジオ放送の発展と歩を同じくして、あまねく全国において購読できるネーションワイドの全国紙をめざした。また一九二四年に正力松太郎が買収した『讀賣新聞』も、翌年いち早く「ラヂオ欄」を導入して三大紙の一角を占めた。いわば「新聞のラジオ化」である。

同じ意味で、「書籍のラジオ化」が円本である。円本は一冊一円で予約販売された全集類の総称だが、当時のラジオ受信料も一月一円だった。代表的な円本の一つである『世界文学全集』(新潮社)は、一九二七年二月一五日付『東京朝日新聞』広告で「各国各時代の代表傑作を網羅して全日本に放送せんとする此の一大マイクロホンの前に全民衆全家庭が狂喜して一円を投じつつある事実」と謳っている。

また「雑誌のラジオ化」も生じた。日本初の一〇〇万部雑誌『キング』(大日本雄弁会講談社)は、一九二四年一一月二九日東京放送局(JOAK)設立認可の六日後に創刊されている。講談社は一九三一年にラジオ番組をプレス(印刷)するレコードのイメージで「キングレコード」のレーベルを売り出した。

こうして一九三〇年代に入るとラジオ普及は本格化し、ベルリン・オリンピック大会の一九三六年には全国普及率二一・四%、市部では四二・一%に達している。この普及段階で室伏のペシミズムに連なる議論に、長谷川如是閑「ラヂオ文化の根本問題」(『中央公論』一九三六年九月号)がある。長谷川は「量が質を支配する」ラジオ文化は、「巨大性に依頼するエジプト式建築に似たもの」と表現している。この量的威光はユルゲン・ハーバーマスのいう「代表具現的公共性」であり、理性的というより感覚的、如是閑の言葉でいえば「原始的」な効果をもたらす。それは一般には群衆心理的に作用するが、ラジオの場合はそうした群衆心理状況をコントロールする方向にも働くと、長谷川は指摘している。

> 二・二六事件の際の戒厳司令部の放送は、ラヂオの量的威力を、群衆心理的発動を抑へるために有力に使用された一例であつた。

ラジオの世論統制機能を同様に評価する記述は、社会主義者・山川均の「ラヂオを聴く」(『日本評論』一九三五年二月号)にもみられる。

> 米や鋼鉄や靴下や石油を統制するように、人々の頭を統制する必要があるとき、ラヂオは最も有効な手段を準備したものだといふことだ。

「量が質を支配する」ラジオ文化が生んだ「人々の頭を統制する」システムこそ、国民感情の制御装置としての世論調査に他ならない(第一章第3節を参照)。ラジオの広告効果は新聞や雑

図 2–1　輿論から世論へ

輿論＝public opinion	⇒	世論＝popular sentiments
可算的な〈デジタル〉多数意見	定義	類似的な〈アナログ〉全体の気分
19 世紀的・ブルジョア的公共性	理念型	20 世紀的・ファシスト的公共性
活字メディアのコミュニケーション	メディア	電子メディアによるコントロール
理性的討議による合意＝議会主義	公共性	情緒的参加による共感＝決断主義
真偽をめぐる公的関心(公論)	判断基準	美醜をめぐる私的心情(私情)
名望家政治の正統性	価値	大衆民主主義の参加感覚
タテマエの言葉	内容	ホンネの肉声

誌のように発行部数で予測できないため、広告代理店はクライアントへの説明材料としてラジオ聴取率を必要とした。こうした趣味嗜好のフィードバック・システムから見れば、今日のソーシャルメディアを指すCGM(コンシューマー・ジェネレイティッド・メディア)、「消費者が創り出すメディア」という「ウェブ2・0」の発想も「ラジオ文明」に起源するといえるだろう。

結局、関東大震災で液状化した輿論は、総力戦体制の中で「ラジオ化した輿論」、やがて「空気としての世論」になって今日に至った。

メディア論として、読書人(市民)の文箪的「輿論」からラジオ人(大衆)のポスト文箪的「世論」への変化をわかりやすく図式化すると**図2-1**のようになる。

ポスト3・11のウェブ文明論

東日本大震災は、こうした「輿論の世論化」が極限にまで達した時期に発生した。二〇〇六年九月に五年続いた小泉純一郎首相が退陣し、震災後までの同じ五年間で首相は安倍晋三、福田康夫、麻生太郎、鳩山由紀夫、菅直人の五人が入れ替わった。こうした短命政権の背景に、各種メディアが乱発した内閣支持率報道があることはよく指摘されている。

それを「世論調査病」あるいは「世論調査中毒」と呼んだのは、のちに菅義偉内閣で内閣総理大臣補佐官をつとめることになる共同通信社の柿崎明二である（『「次の首相」はこうして決まる』講談社現代新書・二〇〇八年）。新聞各紙も社説では「政治は空気に流されるべきではない」、「議論が大切だ」と繰り返すが、内閣支持率ニュースを第一面トップで報じ続けてきた。その結果、内閣支持率が「二〇％を割れば政局」という常識は、いまでは国民一般にも広く浸透している。実際、一〇％台では次の選挙に勝てないという認識はまちがいではない。そのため、与党内で党首交代を求める声がまず上がり、首相は政権を投げださざるを得ない事態に陥る。

しかし、内閣支持率に象徴される世論調査のデータはどのようにして得られた数字だろうか。コンピュータでランダムに電話するＲＤＤ方式が一般的だが、回答者は電話口で即答を求められる。食事どきに唐突に内閣の支持や消費増税の是非を問われたとき、日頃マスコミが報じる多数世論をオウム返しに回答する人は少なくない。こうして増殖する雰囲気の統計値を「民意」と見なすことははたして理性的なことだろうか。それは公的な意見（輿論）と呼べるものではなく、私的な心情（世論）の分布に過ぎない。だが、この世論（セロン）が現状では「ヨロン」という理想的響きを帯びて、あたかも「日々の国民投票」のごとく政治的正統性の裏付けに利用されている。むろん、国民感情そのものは公的意見とは別に政治の重要ファクターである。それを軽視して大衆政治は成り立たない。そのためにも、現行の世論調査は「国民総感情」の調査と割り切って、その科学的分析を行うことが必要である。

だがそれとは別に、こうした「国民総感情」を有権者自身が批判的に反省する足場として、規範的な「輿論」概念を復権させることも「災後」の最重要課題だろう。ソーシャルメディアが加速化するファスト（高速）社会の中で、私たちは自動化された世論、つまり直観的思考の総和である国民感情に流されがちである。しかし、こうした直観を前提とする衝動的判断は政治的に望ましいものではない。

私は東日本大震災の半年前に書いた「ファスト政治と世論調査民主主義」（本書第一章第3節）などで「世論調査中毒」の即決政治を厳しく批判してきた。それ自体も二〇世紀工業化社会論である室伏高信「ラヂオ文明の原理」の延長線上にある議論といってよい。

それは東日本大震災以後、はたしてより新しいメディア文明論は登場しただろうか。関東大震災後の「ラジオ文明論」に相当するニューメディアの文明論としては、阪神・淡路大震災後の「(インター)ネット文明論」がよく知られている。公文俊平編著『ネティズンの時代』(NTT出版・一九九六年)が代表的なものだが、ネットワーク・シティズン、略してネティズン(智民)が情報通信ネットワークを活用して新たな「情報文明」の担い手となるという議論である。脱工業化社会論の延長上に知の理想的共有を実現する「智民革命」が展望され、それによって二〇世紀「ラジオ文明」の官僚主義や情報統制は超克されると期待されていた。もちろん、情報全体主義とネットワーク・ファシズム、いわゆる「ネチズム」の危険性を指摘する議論(たとえば拙著『現代メディア史』岩波書店・一九九八年)もあったが、当時は「ラジオ文明」と「ネット文明」の連続性よりも断絶性が強調されていた。

当然ながら、東日本大震災後でも従来の「ネット文明」論に替わる「ウェブ文明」論が登場している。東浩紀『一般意志2・0――ルソー、フロイト、グーグル』(講談社・二〇一一年)が代表的なものだろう。東の著作は二〇〇九年冬から東日本大震災の直前までPR誌『本』(講談社)で連載されていた同名の連載をまとめたものである。それゆえ、厳密には「災前」のメディア論である。序文で東自身が次のように述べている。

もし連載がなにかの理由でひと月延び、最終回の締め切りが震災直後に当たっていたとしたら、筆者はおそらく最終回を書き上げることができなかっただろう。

東の「一般意志2・0」は、いうまでもなくティム・オライリーの提唱で二〇〇五年頃から流行語となった「ウェブ2・0」を受けたものである。オライリーはパーソナルコンピュータの普及とインターネット接続に続く時代、すなわちグーグル(一九九八年創業)の台頭に代表されるデータ重視、利用者重視の時代を「ウェブ2・0」と名付けた。それは利用者の自発性を動員するシステムである。フェイスブックでもツイッター(現在はX)でもLINEでもよいが、あらゆるソーシャルメディアは利用者が自ら積極的にデータを書き込み、投稿しなければそれはネットワークとして機能しない。利用者の自発性にサービスの存在、つまりビジネスの成否がかかっているといってもよく、そのため運営企業は利用者本位にならざるを得ない。

こうした「ウェブ2・0」時代において、ITビジネスの中心はパソコン製造からソフトウエア開発となり、ソフトウエア開発の中心もスタンドアロン対応からネットワーク対応に移行した。コンピュータ製造をリードしたIBMが二〇〇四年にパーソナルコンピュータ事業部門を中国の聯想(レノボ)集団有限公司に売却したことはまさに象徴的であった。

「ラジオ文明論」に引きつけて理解すれば、東浩紀の「一般意志2・0」論は室伏のペシミズムよりも新城のオプティミズムに近いだろう。東は「ユビキタスコンピューティングとソーシャルメディアが支える統治制度」、「票読みと政局報道に支配され旧態依然の「政治」から掛け離れた、まったく新しい公共性の創出」の可能性を論じている。それは「民主主義後進国から民主主義先進国への一発逆転」の試みとして、次のように提示されている。

日本人は「空気を読む」ことに長けている。そして情報技術の扱いにも長けている。それならば、わたしたちはもはや、自分たちに向かない熟議の理想を追い求めるのをやめて、むしろ「空気」を技術的に可視化し、合意形成の基礎に据えるような新しい民主主義を構想したほうがいいのではないか。

この「民主主義2・0」にはヨーロッパの市民社会モデルを超える可能性が確かに存在している。実際、あらゆるコミュニケーションは無数の意見をいくつかの対立軸に還元してしまうため、意見の多様性を抑圧する効果を本質的に備えている。その限りでは、意見対立を前提とする討議コミュニケーションによって一つの意見に集約する弁証法的な合意形成よりも、「コミュニケーションなき意見集約」が抑圧的でないだけ望ましいわけである。それを「ウェブ2・0」の情報技術が可能にすると、東は主張する。たとえば、それはツイッター上のつぶやきに象徴される「集合的な無意識」の可視化であり、専門家による「熟議」はそれを補完する役割を担うべきというのだ。

確かに東の議論は旧来の「ネット文明論」、とくに「ネチズンによる熟議民主主義」というヨーロッパ市民社会の理想型の盲点を鋭く突いている。つまり、いま問題となっているのは人々が熟議「しすぎる」ことだという指摘である。確かに日本社会では密室での談合のように「狭い熟議」が国会でも官庁でも大学でも終わりなき日常として行われている。この「狭い熟議」の限界を超えるために、ビッグデータを機械的に統計処理する技術が有効だというのだ。まず、大衆の無意識が数値化され、それを熟議の場に流し込む必要があるというわけである。こうした大衆の統計的無意識に向き合った熟議のなかで多数意見、「一般意志2・0」は形成されるべきだ、と。私はソーシャルメディアで「毎日毎時間選挙をやっているような時代」を東ほどには楽観視できないが、その限界を認識した上であれば、可視化された「集合的な無意識」、すなわち世論(せろん)の活用には賛成である。

『一般意志2・0』よりも三・一一の影響を強く反映した「災後」メディア文明論としては、池田純一『ウェブ文明論』(新潮選書・二〇一三年)がある。同書も震災前の二〇一〇年五月から二〇一三年三月まで「アメリカスケッチ2・0」として『新潮』で連載が続いていた作品だが、「災後」に大幅加筆されている。特に、「情報」ネットワークの基盤でありながら人々が近年あまり意識することのなかった「エネルギー」ネットワークの存在が再浮上したという指摘が重要だ。自然災害が電力網、水道網、電話網、鉄道網など二〇世紀的な物理的インフラの重要性に人々の目を向けさせたというのである。池田はその変化をこう述べている。

個人による端末利用や流動的な人間関係に象徴されるように、情報にまつわる想像力は、ある種の軽さを尊び、個人に照準する傾向があった。基本的には解放のイメージだ。一方、エネルギーにまつわる想像力は、現状ではエネルギー供給施設の規模の大きさから、情報のように個人を主体として扱うことは難しく、何らかの形で社会に焦点を当てる必要がある。したがって、もしもエネルギーをテーマに据えるならば、どこかで社会的もしくは集団的な取り決め（経営や統治）についての想像力に触れないわけにはいかない。

個人的な「情報」ネットワークが若者文化に傾斜した「パンとサーカス」の語りであったのに対して、「災後」に注目される社会的な「エネルギー」ネットワークは全世代にわたる「道路と安全」の語りとして再浮上してきた。それが「情報」ネットワークへの過度の依存から脱却する道であれば幸いである。

メディア流言に立ち戻るならば、二〇世紀の関東大震災と比較して、二一世紀の東日本大震災におけるメディア流言はほとんど事件と見なすべき惨事を引き起こしていない。かつては情報不足の中での流言であったが、ソーシャルメディア時代は情報過剰の中での流言である。ウェブ情報が「集団的知性」にはほど遠いとしても、「集団的浅慮」が全面化したわけではない。メディア流言の影響力が低下した一因には情報過剰もあるのだろう。多すぎる選択肢が選択行為そのものを困難にするように、情報過剰は流言を含む「情報」ネットワークへの個人的対応を困難にしている。そこで問われるのは、多くの情報を処理できる個人のリテラシーなのか、それとも不要な情報をスルーできる社会のセイフティネットなのか。答えは明らかだろう。後者に適合的なのは、個人的な「情報」ネットワークよりも、社会的な「エネルギー」ネットワークの方である。この点を踏まえて、将来の遅延報酬にむけて粘り強い思考をすること、それが「世論の再輿論化」への道なのだろう。

第三章　デモする社会

本章の初出は、『災後のメディア空間——論壇と時評2012–2013』（中央公論新社・二〇一四年）のI章「ことばからデモへ？——論壇時評と私」である。

私は二〇一二年四月から二〇一六年三月まで四年間、新聞三社連合（『北海道新聞』『東京新聞／中日新聞』『西日本新聞』）の論壇時評を執筆した。連載を打診されたのは、東日本大震災から三カ月後、二〇一一年六月のことだった。

批評家という自覚がない私には正直、荷が重いと感じた。しかし、「災後」の言論空間がどのように展開するのか、メディア研究者としてどうしても見届けておきたいと思った。また、言葉の衰弱、論壇の終焉がいわれるいま、これを引き受けなくて、いつ引き受ける機会がめぐって来るだろうか。そう考えて連載をはじめた。

スタートはちょうど東日本大震災から一年が過ぎた時点である。その執筆では「災後」という時代精神が日々に薄らいでいくことを実感した。被災地復興は問題山積であり、炉心熔融した福島第一原発も「アンダー・コントロール」とはとても言える状況ではない。それでも日常性へと回帰しようとする心性はあなどりがたい。「災後」が鮮明なうちにそれを記録して残したいと、私も願ったのである。

「言葉を失う」という表現がある。震災と原発事故はまさに文筆の無力さを突きつける出来事だった。もちろん、論壇の下部構造である出版業界の低迷は「災前」から続いていた。出版科学研究所のまとめによれば、二〇一三年の国内出版物の売り上げは二九年ぶりに一兆七〇〇〇億円を下回り、ピークだった一九九六年の五分の三にまで縮小していた。特に雑誌売り上げの落ち込みは著しく、バブル前の一九八三年の水準にまで落ち込んでいた。読者層の高齢化が進む総合雑誌は、そのジャンルの存続さえ危ぶまれている。（二〇二四年一月に発表された、二〇二三年の同じ調査では、紙と電子の合計で前の年より二・一％少ない一兆五九六三億円となっている。電子出版の約九割を占める電子コミックの伸びで下げ幅は鈍化しているが、紙媒体だけであれば一兆六一二億円であり、いよいよ「一兆円産業」からの脱落が目前となっている)。

なるほど、書きとばされ、読みとばされ、やがて忘却される論考も少なくない。だとしても、というより、だからこそ、私は自分で見た「災後」の言論空間を記憶のインデックス(索引)として書き留めておきたかった。また、自らの言葉に責任をもつという意味で、同じ期間に各紙誌に寄稿した時評やメディア評などを『災後のメディア空間』にまとめた。「災後」論壇の大きなテーマとしては、東北復興政策や反原発運動のほかに、外交では台頭する「中華帝国」、内政では二〇一二年末の民主党政権崩壊や第二次安倍晋三内閣のアベノミクスなどがあり、素材にこと欠くことはなかった。ただし、もし二〇二四年のいま、もう一度論壇時評を依頼されたら大いに苦悩するだろう。向き合うべき「論壇」はますますおぼろげになっている。ちょうどいま届いた『中央公論』二〇二四年四月号の特集が「荒れる言論空間、消えゆく論壇」なのである。

1　論壇はもう終わっている（二〇一四年二月）

一九八八年生まれの佐藤信は、『週刊読書人』二〇一三年一二月二〇日号で「論潮」欄の連載終了にあたり、「ほとんど壊死しつつある論壇」の未来を次のように展望している。

今後ウェブへの移行が進めば必然的に紙媒体の稀少性は増す。そんな逆風のもとで収益まで厳しくなれば、紙媒体に書くことはますます難しくなり、競争に打ち勝った人だけが練った文章だけを発表できるということになるだろう。そうなれば紙上のコンテンツは充実し、ブランド化された（淘汰された）紙媒体の存続と論壇の復興が好循環を生み出すことになるかもしれない。

紙媒体の重要性について、思いは私も同じだ。しかし、この高級ブランド化した総合雑誌として、具体的にどのような雑誌がイメージできるだろうか。総合雑誌の起源といわれる文明開化期の『明六雑誌』（一八七四年創刊）あたりだろうか。しかし、大衆化を一度経験した社会がごく少数の知的エリートの論壇独占を認めるとは思えない。さらにいえば、大衆的啓蒙の量的な広がりを初めから放棄した高級雑誌は、そもそも広告媒体としても教育素材としても商業メディアであることは難しいのではないか。ブランド化した高級雑誌によって「ほとんど壊死しつつある論壇」が回生することは期待できそうにない。

こうした論壇の衰退、いや終焉はいま語られはじめたわけではない。平成の「三〇年不況」など、ものの数ではなく、四〇年、いや五〇年前から「危機」状態は指摘され続けた。これだけ長期間、恒常化した危機は、果たして本当に危機といえるのだろうか。逆から問えば、私たちはいつの時代に、あるべき「健全な論壇」を見ているのだろうか。

まず、私が担当した「新聞三社連合」論壇時評の過去を振り返ってみよう。私が大学に入学した一九八〇年から三年間分の連載をまとめた『知識人と論壇――今日的変貌の断面』(東洋経済新報社・一九八四年)で、担当していた中嶋嶺雄はこう書いている。

> 今日、論壇誌が一般の読者にあまり読まれなくなっていることを考えれば、私は、この間、誰よりも多く論壇誌を読むハメに陥っていたといえるであろう。

すでに一般読者があまり総合雑誌を読まないことは前提とされていた。中島の後、担当者は西部邁、岸本重陳、宮崎哲弥、大澤真幸、金子勝と続き、二〇一二年四月から私が担当した(ちなみに、一九六九年から中嶋までの歴代担当者は飯坂良明、伊東光晴、荒瀬豊、高根正昭、伊東光晴、関寛治、奥平康弘である)。私も中嶋とまったく同じ感慨を抱いていた。「誰よりも多く論壇誌を読むハメに陥っていた」、と。

中嶋が論壇時評を担当した一九八〇年代、同欄は毎月上・下二回掲載されていた。扱うべき雑誌数も論文数も多かった。中嶋の論壇時評におけるベスト二〇を言及頻度順に挙げておこう(数字は言及回数)。「網掛け」は私が担当した二〇一四年現在、すでに休刊、廃刊となっている雑誌を示している。
①『中央公論』143、②『世界』106、③『朝日ジャーナル』100、④『エコノミスト』73、⑤『文藝春秋』69、⑥『諸君!』64、⑦『正論』57、⑧『週刊東洋経済』45、⑨『Voice』42、⑩『経済往来』27、⑪『世界週報』24、⑫『現代の眼』15、⑫『自由』15、⑭『潮』14、⑮『現代の理論』10、⑯『新潮45+』9、⑰『現代』7、⑰『創』7、⑰『朝日新聞』7、⑳『人と日本』6。
四割にあたる九誌が消えていた(その後、『新潮45』が二〇一八年一〇月号で休刊となった)。ちなみに私の論壇時評では新聞と経済誌は除外していたので、このリストのうち『朝日新聞』『エコノミスト』『週刊東洋経済』は対象とならない。当然ながら、扱う雑誌数は半分以下に減少している。私が二〇一二年四月から一三年一二月までの論壇時評で二回以上言及した雑誌を頻度順に並べると以下のようになる。

①『世界』22、②『中央公論』21、③『文藝春秋』17、④『現代思想』12、⑤『新潮45』9、⑥『潮』8、⑥『正論』8、⑧『Voice』6、⑨『外交』3、⑨『創』3、⑨『SIGHT』3、⑨『Journalism』3、⑬『週刊金曜日』2、⑬『g2』2、⑬『思想地図β』(『ゲンロンエトセトラ』含む)2。

(さらに続く休刊誌にも網掛けを付した。ロッキング・オン社の『SIGHT』は二〇一四年夏、講談社の『g2』も二〇一五年五月、朝日新聞社の『Journalism』も二〇二三年三月で休刊となった。二〇一三年一一月で終了した『思想地図β』には、二〇一五年一〇月に創刊された後継誌『ゲンロン』があるものの、論壇時評の対象誌はますます減少している。)

一九八〇年代の中嶋のリストと二〇一〇年代の私のリストを比較した場合、『中央公論』と『世界』のトップ争いは変わらないが、『現代思想』の浮上が目立つ。ちなみに、この中で私自身が論考(随筆、書評、インタビューをのぞく)を寄せたことがあるのは、わずかに『中央公論』と『世界』だけである。いずれも三回、二回(臨時増刊含む)であり、私が「論壇人」と呼べないことは確かだろう。そのため論壇時評を担当してはじめて、「論壇」をリアルに実感できた。

大澤聡『批評メディア論』(岩波書店・二〇一五年、現・岩波現代文庫)が指摘するように、論壇が実在するから論壇時評があるわけではなく、論壇時評があるから、論壇がさも存在しているように見えるのである。その意味では論壇時評がなくなったときに、本当の意味で論壇は終末を迎えるはずだ。だが、この「論壇時評という仕事」の困難さも、すでに四〇年前から指摘されている。

一九八五年一月から『朝日新聞』の論壇時評を担当した見田宗介は、その第一回「現代社会の自己表現——「論壇」の解体・変容」(『白いお城と花咲く野原』朝日新聞社・一九八七年所収)をこう書き起こしている。

論壇時評という仕事が、確実に困難なものとなってきていることを感じる。そして今日では、ほとんど不可能といってもいいだろう。そしてこの「論壇時評」の困難さ、あるいは不可能ということ自体のうちに、現代日本の思想の情況ともいうべきものの特質が、まずそのようなかたちで姿をみせているように思われる。

すでに一九七〇年頃から新聞各紙の論壇時評で論壇の「危機」、「知的衰退」、「地盤沈下」が指摘されはじめている(根津朝彦『戦後『中央公論』と「風流夢譚」事件——「論壇」・編集者の思想史』日本経済評論社・二〇一三年)。見田宗介も一九七六年五月三一日付『読売新聞』夕刊にそのものズバリ「論壇の終焉」と題した論壇時評を発表していた。

『世界』とか『中央公論』の巻頭で学者や評論家が「今こそ国会へ」といった大号令をか

けるという六〇年安保までの時代は終わった。

確かに、この一九七〇年代が転換期であり、戦後の「国民雑誌」を名乗った『文藝春秋』の購読数も一九七六年をピークに長期低落に入っている。一九七九年には『現代の眼』八月号が「論壇の崩壊――八〇年代状況の混迷のなかで」を大特集している。山田宗睦・丸山邦男・松本健一の座談会「なぜ論壇は崩壊したか」(同)において、丸山邦男は論壇時評そのものが終わっているという。

ぼくも一〇年ぐらい、「論壇時評」なんてほとんど読まないし、読む気がしない。むしろ「論壇時評」を一年間受け持って書いている人は、お気の毒に、という感じ。何とか論壇があるかの如く論じなければならない、その苦衷みたいなのがにじみ出ているんだな。

だとすれば、この発言の翌年、一九八〇年に大学に入った私は、論壇も論壇時評も終わった後で総合雑誌を読み始めたポスト論壇世代となる。なるほど一九六〇年安保紛争後に生まれた私には、日本の政治や外交に影響を与えるような大論文、あるいは歴史的な大論争をリアルタイムで読んだという記憶がない。

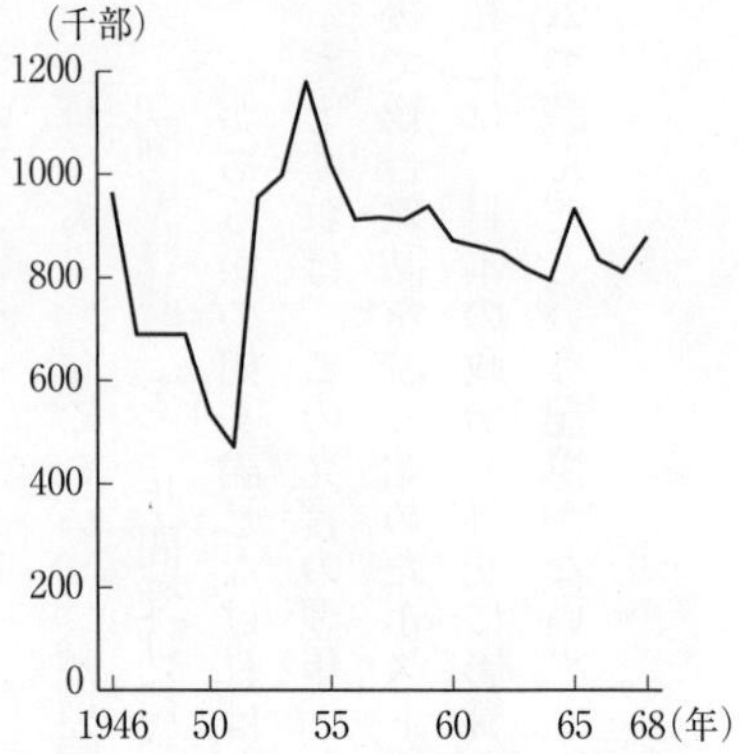

図3-1　『世界』年間発行部数の推移(1946-68年．1965年5月臨時増刊号を含む)．

総合雑誌の閉鎖性――『世界』の場合

　それでも強烈な印象が残っている最初の雑誌論文は、大学入学後間もなく読んだ清水幾太郎「核の選択」(『諸君！』一九八〇年七月号)だろうか。より正確に言えば、この清水論文を痛烈に批判した福田恆存「近代日本知識人の典型――清水幾太郎を論ず」(『中央公論』同年一〇月号)によって論壇という存在を意識した。

　竹内洋『メディアと知識人――清水幾太郎の覇権と忘却』(中央公論新社・二〇一二年)によれば、清水が平和運動の旗手をつとめていた一九五〇年代が戦後論壇の黄金期であり、竹内はそれを「『世界』の時代」と呼んでいる。いやしくも大学生であれば、『世界』の主要論文を読んでいることが常識のように語られた時代である。それにもかかわらず、当時の総合雑誌が幅広い読者を持っていたわけではない。そうした論壇の閉鎖性を考えるために、とりあえず『世界』を例に検討してみたい。

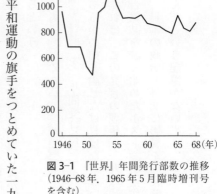

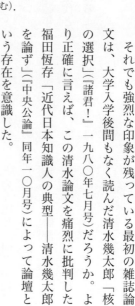

『世界』の創刊は一九四六年一月だが、一九五〇年前後には部数は低迷していた（図3−1は拙著『物語 岩波書店百年史2』二七六頁より引用）。当時の総合雑誌の読者に大衆的広がりが欠けていることは、『世界』編集部の相談役だった清水幾太郎の『ジャーナリズム』（岩波新書・一九四九年）からも読み取れる。

総合雑誌は暗黙のうちに、高等教育を受けた読者のみを前提として編輯しているため、日刊新聞にみられる包括的な大衆性は失われ、かなり高い平面に立ち、したがって一部の知識層にとっての綜合性という色彩を帯びるにいたっている。

こうした読者層の閉鎖性は、特殊な歪みとなって表れる。清水は総合雑誌の難解さを痛烈に批判している。

綜合雑誌の執筆者の大部分が大学教授であって、固有のジャーナリストではない。……肝腎のサーヴィスの精神を欠いた執筆者であるから、読者にも、編輯者にも、おそらく自分にもわからぬことを書き、それを編輯者が頂戴して掲載すれば、特殊な衒学癖を有する日本の読者はわかったような顔で読みあるいはただ保存し、それによって執筆者はまた執筆者で学問上の業績をあげたかのごとき気持になる。こういう不幸な滑稽な循環は、決して健全なものではない。

実際、執筆者の大部分が大学教授であった『世界』の発行部数が増加に転じるのは、雑誌としては異例の五刷を重ね、一五万部を売り切った「講和問題特集号」(一九五一年一〇月号)以降である。だが、それは『世界』の内容が大衆化したためではない。むしろ逆である。サンフランシスコ講和条約をめぐり全面講和(その不可能性のため、結果的には占領継続)を主張した『世界』が、早期独立を求めて自由主義陣営との単独講和を支持する国民世論と袂をわかった瞬間でもある。それは『世界』が東西冷戦下で社会主義諸国を支持する諸組織に軸足を置いたことを意味する。当時編集部にいた緑川亨(のち二代目岩波書店社長)は「平和問題談話会とその後」(一九八五年七月臨時増刊号)で「先方からの希望もあって、雑誌をかついで、国鉄、総評、全逓にもっていった」と証言している。緑川はさらに自ら労働組合幹部に『世界』の一括購入を交渉し、こうした社会党支持団体との連携により、『世界』の年間発行部数は一九五四年に一二〇万部に迫った。読売新聞社が一九五二年に発表した「雑誌ベスト・スリー」によれば、綜合雑誌部門では『世界』は第二位で『文藝春秋』を追っており、この時点では『中央公論』を抜いていた。

しかし、かつて岩波文化人の一人だった小泉信三が「平和論――切に平和を願ふものとして」(『文藝春秋』一九五二年一月号)で『世界』の「講和問題特集号」を「全面講和論者または中立論者の同人雑誌の如き」と酷評しているように、一九五〇年代には創刊時にいた自由主義知識人の『世界』離れは加速した。

苅部直は、大熊信行「日本民族について」(『世界』一九六四年一月号)に対する編集部の対応が一つの画期だとする(苅部直『物語 岩波書店百年史3——「戦後」から離れて』岩波書店・二〇一三年)。六〇年安保闘争のなかで「八月一五日」を戦後民主主義の原点と主張する丸山眞男「復初の説」(『世界』一九六〇年八月号)を「虚妄」と批判した大熊論文に対して、『世界』は三度の批判文を掲載した。しかし、再反論を求めた大熊に対しては、その機会を一度も提供することはなかった。苅部は次のように総括する。

『世界』という雑誌がこののち、「戦後民主主義」に対する批判をタブーとして封印してしまった画期と見ることもできるだろう。

それは、総合雑誌が論争を綜合(ジンテーゼ)に導く弁証法を放棄した画期と言ってもよい。こう考えると、知識人を総結集したかのごとき印象で語られる「『世界』の時代」もせいぜい数年間だったといえるのかもしれない。

その上で、一九五二年以前が戦時=占領期の言論統制時代であることを考えれば、論壇が「正常に」機能した時代こそがごく例外的、つまり異常だったのだろう。山田宗睦は先に引用した『現代の眼』座談会で、論壇が「世論の形成の機関」として機能したのは、吉野作造がいた大正デモクラシーと丸山眞男がいた戦後民主主義の時期、つまり「『中央公論』の時代」と「『世界』の時代」のみであり、それ以外の時代はほとんど政治的影響力を持たなかったと述べている。つまり、論壇はごく稀《まれ》に機能することもあったシステム、と言えるだろう。

誰でも手にとれるはずの総合雑誌は、現実には清水が指摘したように教養主義の壁によって閉ざされたメディアだった。『世界』の黄金時代である一九五〇年代でさえ、その閉鎖性は明白だった。一九五二年四月号の編輯後記に、『世界』同年一月号に折り込まれた「読者カード」約一万枚の集計結果が掲載されている。それによれば、読者は、会社員(工員を含む)二四%、教員二〇%、官公吏一九・七%など俸給生活者六三・九%、それに続いて学生二三・二%、商業・農業従事者一二・二%である。特に目を引くのは教員と官公吏を合わせた四割であり、日教組、自治労などに所属するホワイトカラーが圧倒的な多数を占めていた。

さらに質的なデータもあげておこう。「読者からの手紙」欄(一九五三年二月号)に、労働組合の友人に勧められて『世界』を手にした「香川県 一労働者」からの手紙が掲載されている。仲間内で「インテリのしるし」とされる『世界』には、「貴族的で、おまえら無学の大衆は、予の関知するところでないといつた態度」が見える、と苦言を呈している。「字引の助けを借りてまで、一つの論文を一カ月かかつて読んだ人」など具体例を紹介し、「人民の誰もが考えなくてはならないことが、人民大衆の読めない本〔『世界』――引用者註〕の中だけでかかれている」状況の滑稽さに怒りをぶちまけている。この「一労働者」の目には、『世界』は「人民大衆の声」とは無関係な雑誌だった。

皆さんに読者の声をとどけているような人々が、私らの中で、一体どんな人々なのか、おそらく御存知ではありますまい。それは百人に一人、いや千人に一人ぐらいの、本が好きで、毎日本を読んでいるような人達がかいているのです。

この「一労働者」に対しては、翌三月号の同欄で「和歌山県　一書籍店主」が共感を表明している。「善意の空転」が大衆の反感を買っているのだという。

言論は、それが反対の立場に在る人々に対して語られるのでなければ、多くスローガンに丈け終つてしまいます。編輯者と執筆者の善意にも拘らず、綜合雑誌は日本の社会に対してこれを進歩させる方向へではなく、インテリと大衆との間の溝を益々大きくさせて行く、観念の近代化を一層推進することによつてより大きい悲劇を作り出す方向へ動いて行く、何だか近頃そんな気がしてなりません。

これが正しいとすれば、大衆世論への働きかけをめざして『世界』を創刊した岩波茂雄の志は挫折したことになる。こうした「読者からの手紙」に応答すべく、桑原武夫「総合雑誌のあり方——『世界』の読者たちの要望をめぐって」(一九五三年四月号)が掲載された。桑原は「無学な大衆、そして労働者には、あのようなイヤミな文章は書けぬ」として、「一労働者」の正体は「ヤケッパチ的な気分」になった活動家だと推定している。その一方で「地方都市で県庁の役人は大たい『文春』をよんでいる。『世界』は教員だ」との実感を述べた上で、読者一〇〇万獲得を目標とする『文藝春秋』は世論に棹さして流れがちだという。これに対して、「おだやかな、しかし一本通った線を時勢の変遷にかかわらず持ちつづけ、冷静に平和をと」く『世界』こそ不可欠な雑誌なのだと訴えている。しかし、こうした「冷静に平和をと」く論文を読んだ学生たちも、一九七〇年代には『世界』から離れていった。その一人、松本健一は次のように回想している(「さあ岩波文化人、どっからでも来い」『正論』一九八二年七月号)。

わたしたちが非知のなかから知を汲み出そうとして、その非知としてあるエトスを生む大衆の生活のほうに関心を移行させているにもかかわらず、相変わらず格調高く、私よりも公、生活よりも政治、趣味よりも啓蒙に力を入れている「岩波文化」に興味を失ったからだった。これを、わたしたちの世代の保守化現象にほかならない、とひとはいうかもしれない。なるほどそういうこともできる。しかし、保守化する大衆の生活をかいくぐることなしに、一度崩壊した知の世界を再建することはできない、というのが、わたしの考えである。

松本の愛読者だった学生時代の私も、この文章を読んで大いに共感した記憶がある。見田宗介も一九八五年一月二八日付『朝日新聞』論壇時評で良心的居座りからの脱皮を願う言葉を書き付けている。

良心的であることが良心的であることに居座って安住するかぎりそれはひとつの非良心であり、あえて過激にいうならば、時代の青年がむさぼり読むものでなければ論壇雑誌の意味などないのだ。

それにしても、『世界』を「時代の青年がむさぼり読む」というシーンはすでに指摘したように、限られた時期の、さらに限られた階層にだけ実在した現象である。その意味では、そうした総合雑誌の閉鎖性を打ち破る機能こそ、マスメディアである新聞の論壇時評に求められていた。この点、見田の論壇時評はもっとも成功したものの一つと言えるだろう。数百万部の全国紙に掲載された論壇時評は、もちろん知識人だけの目にふれるものではなかった。実際、大学院時代の私の周辺に『世界』の読者は少なかったが、私をふくめ『朝日新聞』で見田の論壇時評を読む者は多かった。だからこそ、論壇時評が総合雑誌を一般読者に接続する機能を果たしてきたと、私は実感していた。

2　「デモする社会」の論壇時評（二〇一二年八月）

私が論壇時評で心がけていたのも、総合雑誌の議論をなるべく多くの読者に開いていくことだった。それが成功したかどうかは、読者の判断に委ねるほかない。ただ、これまでに私が書いた論壇時評で最も注目を浴びたのは、二〇一二年八月二八日付『東京新聞』夕刊に掲載された「「孤立的民主主義」から「デモする社会」へ？」である。それは反原発派の『世界』や『週刊金曜日』などに溢れたデモ礼讃論に疑念を呈する内容だった。特に、自らも官邸周辺の脱原発デモに参加した柄谷行人の「人がデモをする社会」（『世界』二〇一二年九月号）を取りあげている。この論壇時評については全文を引用しておきたい。

＊　＊　＊

八月前半の新聞紙面は「ロンドン」オリンピック一色で埋まった。こんな時期こそ、論壇誌が読まれてもよさそうなものだ。実際、「オリンピック休戦」どころではない。消費増税や原発で国内は大揺れだし、竹島や尖閣で外交は危機的状況を迎えている。

先月もふれた官邸前の「脱原発」デモについては、柄谷行人「人がデモをする社会」(『世界』九月号)が、その画期性を歴史的視点から考察している。和辻哲郎の「風土」論や丸山眞男の「個人析出のさまざまなパターン」理論を踏まえて、デモなき日本社会の特殊性を指摘する。西欧との比較では「近代化の遅れ」と片付けられた問題だが、韓国や中国でもデモは盛んである。自らデモに参加する柄谷は、こう宣言している。「人々が主権者であるような社会は、代議士の選挙によってではなく、デモによってもたらされる」。

だが、「デモによってもたらされる社会」は、必ずしも幸福な社会とは限らない。ドイツのナチ党はデモや集会で台頭したし、それを日常化したのが第三帝国である。街頭の世論形成を無条件に肯定する議論に私は違和感を覚える。デモの称賛は「代議士の選挙」への絶望感の裏返しだからである。

例えば、各誌が特集した現代政治家論である。「この絶望的な政治家たち」(『新潮45』八月号)、「政治家は「塾」で育つのか」(『中央公論』九月号)、「日本人の〝最後の選択〟――〝総理候補〟二一人を採点する」(『文藝春秋』九月号)、「保守論客が提言――この人を総理に」(『正論』九月号)。ここでは『正論』論客の総理候補だけみておこう。四七人の論客が押す候補は、一一人の安倍晋三、一〇人の石原慎太郎を筆頭に、六人の稲田朋美、四人の櫻井よしこ、三人の橋下徹と続く。女性人気が興味深いが、このアンケートに日本初の女性代議士の一人、園田天光光は「該当なし」と回答している。「昭和(戦後)・平成という時代が人を作れなかったということです」。とはいえ、明治・大正という時代なら人は作れたのだろうか。

伊藤之雄×古川隆久「徹底討論・昭和天皇の決断と責任」(『中央公論』九月号)は近来まれな誌上の真剣勝負で読み応え十分だが、これを読む限り戦前の政党指導者が優れていたとも思えない。昭和天皇はイギリス流の政党政治を理想としたが、直面した難問はやはり有能な政治家の不在だった。討論の司会者・御厨貴はこうコメントしている。「(田中義一内閣は)昭和天皇が最初に経験する内閣としてはひどすぎました。続く浜口はあまりに硬く、若槻は不甲斐ない。私はいつも思うのですが、戦前の政党内閣は加藤高明内閣から犬養毅内閣まで、八年もよく続いたものだと」。

政治家個人の資質よりも、政治システムに注目すべきなのだろう。小倉紀蔵「ふたつの民主主義」(『環』五〇号)は、特集「チャールズ・ビーアド『ルーズベルトの責任』を読む」の一編だが、戦後日本の政治システムを理解する上で重要な「思考の補助線」を示している。『ルーズベルトの責任』(原著・一九四八年)は、大統領が中立の選挙公約と反戦世論をねじ曲げてアメリカを参戦に引き込んだプロセスを克明に跡づけた歴史書である。それは対ドイツ参戦を実現するために、日本を対米開戦に追い込んだという告発でもある。もちろん、だから日本に戦争責任はない、という議論にはならない。重要なのは、ルーズヴェルト大統領にとっては憲法を否定し、国民を欺いても貫徹すべき大義が存在したということである。小倉は、侵略や圧政と戦う「大義的民主主義」に対して、ビーアドが求めた路線を「孤立的民主主義」と名付ける。「「大義的民主主義」が国民を騙すことによって腐敗し独裁化への道を歩むのに対して、「孤立的民主主義」は情報の徹底した開示と自由な接近、そして何よりも手続きの公正さを最重要と考える」。

情報開示と公正さがなぜ「孤立」を招くのか。何でも暴露する人に寄りつく人は少ないように、秘密外交を拒む国家との関係はのぞまれず、そうした民主主義は必然的に「孤立」を招くからである。この意味で、小倉は戦後日本を「孤立的民主主義」、朝鮮半島の両国を「大義的民主主義」と評する。北朝鮮の大義は「抗日」であり、韓国のそれは「反共」だった。そうした大義的民主主義が軍事独裁の形態をとるのは、ビーアドのテーゼ(大義的国家は必ず腐敗する)からすれば必然である。一方で、戦後日本は「大義」の道を採らず、日米安保体制の中で「過去の清算」を無視して孤立主義に甘んじてきた。「戦後リベラルという陣営は、何を勘違いしたのか、日本国憲法的民主主義に関してきわめて理想主義的な気分を高揚させつづけた。しかしそれは日本国内でだけ通用する態度なのである」。

この孤立的民主主義は、竹島や尖閣の問題で露呈した日本における外交の不在を説明するだけではない。孤立的民主主義はデモを必要としないが、大衆の共感を操作する大義的民主主義とデモの親和性は高い。果たして、「人がデモをする社会」は日本の孤立的民主主義を変えることになるのだろうか。

＊　＊　＊

これが『東京新聞』夕刊に掲載された二日後、二〇一二年八月三〇日付『朝日新聞』論壇時評（高橋源一郎「新しいデモ　変える楽しみ　社会は変わる」）に、私は顔写真入りで紹介された。高橋が官邸周辺のデモ風景に希望を読み取ろうとしていることは、そのタイトルからも自明である。高橋の文章から当該箇所を引用する。

首相官邸の前に、何万、何十万もの人たちが集まる。そんな風景は何十年ぶりだろうか。

長い間、この国では大規模なデモが行われなかったのだ。でも、うたぐり深い人はいて、「デモで社会が変わるのか?」と問うのである。それに対して、柄谷行人は、こう答える。
「デモで社会は変わる、なぜならデモをすることで、「人がデモをする社会」に変わるからだ」

ふざけて、こう答えたのではない。柄谷は、質問者が想定している回答より、ずっと「本質的」な答えを返したのだ。「デモで社会が変わるのか?」と問いかけるのは、「それでは、変わらない」と思っているからだろう。あるいは「代議制民主主義の社会だから、その社会を変えるのは、選挙によるしかない」と思っているからだろう。

もちろん、「「デモによってもたらされる社会」は、必ずしも幸福な社会とは限らない」という佐藤卓己の懐疑には、十分な理由がある。「ドイツのナチ党はデモや集会で台頭したし、それを日常化したのが第三帝国である」ことは事実だからだ。

だが、ナチ党が主導したデモや集会は「独裁と暴力」を支えるものだった。いま、ぼくたちが目にする「新しいデモ」は、その「独裁と暴力」から限りなく離れることを目指しているように見える。

高橋が「新しいデモ」の非暴力性を強調しているように、なるほど官邸周辺のデモが「平和的」に行われたことは間違いない。だが、デモの無条件な必要性を訴える柄谷行人の暴力観が、世間一般のイメージと大きく異なっていることは指摘しておくべきだろう。柄谷はデモにおける警官との衝突や投石などは暴力ではないと、二〇〇八年六月のインタビューではっきり断言している。『柄谷行人　政治を語る』(図書新聞・二〇〇九年)からその発言部分を引用しておこう。

僕はたとえば、デモで警官と衝突したり石を投げたりすることなどは、暴力的闘争だと思いませんね。たんにシンボリックなものにすぎない。アメリカのデモでも、それはありますよ。

この定義を採用すれば、ほとんどのデモ、つまりナチ党のデモでさえ暴力的ではないことになる。いずれにせよ、高橋の朝日新聞「論壇時評」が掲載されると、ツイッター(現在はX)などにも多くの書き込みがあらわれた。

批判をふくめ、論壇時評の影響力がいまなお存在することを実感できた出来事だった。後日、朝日新聞の同欄担当者から「小紙の論壇時評が他紙の論壇時評に触れるのは、おそらく初めてのことではないかと思います」と丁重な私信が届いた。この時点で総合雑誌には「デモをする社会」を無条件に賛美することの危険性を指摘する議論が珍しかったのだろう。さらに言えば、反原発運動を支持する立場からデモ報道に最も積極的だった『東京新聞』に掲載された「不協和音」であったことも注目された一因かもしれない。

ただ、わずか原稿用紙五枚で四、五本の論考を紹介する枠内で十分な議論など展開できるはずもなく、私自身にも言葉足らずの不満は残った。新たに「デモのメディア史」をまとめる必要性も感じたが、他の仕事に追われていた。

その二週間後、二〇一二年九月一五日には日本政府の尖閣諸島国有化に反発する中国の「反日デモ」が暴徒化した。このときは投石だけでなく放火もあったから、誰も「暴力的でない」とは言えないだろう。さらに日本国内でも反原発デモとは異なる「市民」のヘイトスピーチ・デモ、たとえば「在日特権を許さない市民の会(在特会)」の街宣活動がメディアで注目されるようになっていった。極め付きは、二〇一三年七月三日に「アラブの春」で民主化されたエジプトで勃発した、再びデモを発端とする反革命クーデターである。

新聞や雑誌が真実もデマも伝達できるように、「動員のメディア」であるデモは革命にも反革命にも利用可能だ。これは自明のことである。しかし、それまで「デモをする社会」を礼讃してきた論者の多くは、この事実から目を背けてきた。先に全文を引用した私の論壇時評が主張しているのは、まさしくデモというメディア形式がもつ価値中立的な破壊力だった。

そのため二〇一二年九月以降、デモが「独裁と暴力」を支えている現実を直視しなければならない状況になると、デモ礼讃の言説は急速に総合雑誌から消えていった。デモ礼讃者はあの夏に書いた自分の文章をいま一度読み直してみるべきではないだろうか。その際、自分が支持した「新しいデモ」とは進歩的デモであり、保守派のデモは「古いデモ」である、などと詭弁《きべん》を弄《ろう》するべきではない。ソーシャルメディアと結合した「お祭りデモ」の源流としては二〇一一年の「反韓流デモ」を挙げるべきだ、と伊藤昌亮は『デモのメディア論――社会運動社会のゆくえ』(筑摩選書・二〇一二年)で指摘している。

二〇一一年を機に到来することになった今日の社会運動社会は、そこに左翼的・革命志向型のデモを呼び起こしたばかりでなく、保守的・ナショナリズム志向型のデモをも同時に呼び起こすことになったわけである。

こうした新しいデモは「市民による市民運動」ではなく、「市民に対する市民運動」とよぶべきなのかもしれない。伊藤は反原発デモでも重要な役割を演じた「お祭りデモ」、あるいはサウンドデモに排他性があることも正しく指摘している。

そこではサウンドとスタイルによる同一化、集合的アイデンティティの強化と純化が行われる。そのためサウンドカーから放たれるリズムとビートにのることができない者、そうしたジャンルの音楽と一体化することができない者は集団から排除され、取り残されてしまう。いいかえればそこでは誰もが同じリズムとビートにのることを、そして同じサウンドの一部となることを強要される。しかもそうした強要はすさまじい轟音により、強固な音の壁に囲まれたなかで半ば暴力的に行われる。一度その中に入ってしまうと音の圧政から逃れ出ることはできない。そのため音の壁は、その中に入ろうとする者をおのずと選別することになる。

「お祭りデモ」がこうした強制力と選別性をもっていることを念頭に、二〇一二年六月二九日夜に野田佳彦首相(当時)が官邸周辺デモの鳴り物について傍らの警護官に発した「大きな音だね」という発言は理解されるべきである。新聞各紙はこれを大きく報道し、デモ参加者から野田発言は激しく批判された。

デモの礼讃者は街頭的公共圏の開放性ばかりに目を向け、活字メディアの市民的公共圏の閉鎖性を批判することが多い。しかし、どちらの公共圏も開放性と閉鎖性を併せ持っていることを忘れてはならない。

ファシスト的公共性のメディア

ちなみに、高橋源一郎の論壇時評は「新しいデモ」の重要文献として、五野井郁夫『「デモ」

とは何か――変貌する直接民主主義』(NHKブックス・二〇一二年)と小熊英二『社会を変えるには』(講談社現代新書・二〇一二年)を挙げている。高橋の読み方に誤りはないとしても、どちらも別の角度から読み込むことができる著作である。

五野井はニューヨークの「オキュパイ・ウォールストリート」運動を観察し、それをSNS(ソーシャル・ネットワーク・サービス)の情報共有で非暴力のガイドラインを徹底した「社会運動2・0」として評価している。そこにリーダー不在でも合意形成ができる新しい民主主義を期待するわけだが、この運動が保守派のティー・パーティとまったく異なるものだと五野井が見ていたわけではない。現地取材での感想を次のように書き留めている。

今のオキュパイ・ウォールストリートのゼネラル・アセンブリー(総会――引用者註)はかつてのような水平で平等というよりも、保守派のティー・パーティのように特定のメディアで目立つ人が増えてきて、以前とは雰囲気が変わりつつある。そのことについて、直接民主主義の実現をオキュパイに投影してきた人びとは危惧を抱いているという意見が多く飛び交っていたのも、興味深かった。

また、ウォールストリートでは警官隊との衝突がしばしば見受けられたことも指摘している。重要なことは、デモにおける直接民主主義の有効性を強調しようとすればするほど、議会制民主主義を否定するファシズムとの境界線が曖昧になるということである。例えば、直接民主主義的運動で多くの場合に採用される合意形成手段に、「敵」の創出がある。共通の敵が明確に提示できさえすれば、敵への憎悪を軸に利害の異なる集団を結集できるからである。それは「わたしたちが九九%だ」を合い言葉としたオキュパイ運動における「一%」であり、潜在的被害者(国民すべてが該当する)である反原発デモ参加者における「原子力村」である。こうした「敵」への憎悪による統合戦略の最も成功した歴史的事例こそ、ナチズムの反ユダヤ主義だったといえるだろう。どんな崇高な目的を掲げる運動であれ、共感の動員には「敵」を創出する危険性がつきまとう。

さらに言えば、政治への直接的な参加感覚を民主主義の指標とするならば、ファシストが自ら民主主義者であることに何らの疑問も抱かなかったとしても不思議ではない。ヒトラー支持者も彼らなりに民主主義者だったのである。だから、小熊英二が『社会を変えるには』で書いている以下の文章にも、ヒトラー支持者は諸手を挙げて賛成したはずである。

ときどき、「デモや国民投票は代議制民主主義の破壊である」という人がいますが、代議制がもとは封建制の産物であることを考えれば、「デモや国民投票は封建主義の破壊である」とは言えても、民主主義の破壊であるということにはなりません。

そもそも、私のアカデミック・キャリアはドイツ現代史、とくにドイツ社会民主党の大衆プロパガンダ研究からスタートしている。最初の単行本『大衆宣伝の神話――マルクスからヒトラーへのメディア史』(弘文堂・一九九二年、現・ちくま学芸文庫)の「はじめに」で、その第一章をつぎのように要約している。

「市民的公共圏=読書人的公共性」に対抗して登場した「労働者的公共性」を扱う。ラサールによる市民的公共性批判とラサール祝祭を題材に、メディアの公共性論議に抜け落ちがちな祝祭・行進・デモについて考察する。

いま風に言えば「お祭りデモ」からスタートしたドイツ社会民主党だが、第一次世界大戦後はワイマール共和国で政権与党として体制化するなかで、大衆宣伝の神話とシンボルを喪失していったプロセスを描いている。その上で、新たに台頭してくる煽動政党、ナチ党に宣伝戦で敗れ去った原因をメディア史として分析した。終章「シンボルの黄昏」では、フリードリヒ・クニーリ「労働運動とメディア」(一九七四年)の言葉を引用して同書を締めくくった。

ファシストの殺人部隊が拍子をとって行進した以上、最も古い労働歌さえ嘘っぽく響くのである。また、労働者の記念日、メーデーも楽しいダンスや祝祭の喜びよりも、強制収容所に掲げられた「労働は自由にする」の標語を思い出させるだけである。労働運動の強調語である「連帯」という言葉でさえ、連帯と共同意識が欺瞞と略奪の類義語となっていた以上、嘲笑を呼び起こすだけである。

この博士論文を執筆したのは、ちょうど一九八九年のベルリンの壁崩壊後であり、「東欧市民革命」礼讃論が『世界』や『朝日ジャーナル』などに氾濫していた。そうした議論の枠組みを脱構築すべく書いたのが、「ファシスト的公共性――公共性の非自由主義モデル」(『岩波講座現代社会学24　民族・国家・エスニシティ』岩波書店・一九九六年)である。

ハーバーマスは『公共性の構造転換』新版序において、公共性論の今日的な中心的問題設定を「市民社会 Zivilgesellschaft の再発見」と述べている。その「自由意志に基づいた、非国家的で非経済的な結合関係」の具体例として、教会、文化団体、アカデミー、スポーツ団体、リクリエーション団体などを挙げている。だが、こうした世論形成に影響をもつ結合関係が「大衆の国民化」の主要な担い手であったことは、ジョージ・L・モッセ(『大衆の国民化――ナチズムに至る政治シンボルと大衆文化』佐藤卓己・佐藤八寿子訳・柏書房・一九九四年、現・ちくま学芸文庫)が論じている通りである。ナチズムが「強制的、国家的、経済的な組織」による宣伝操作の運動ならば問題はむしろ容易なのだ。だが、それが危機状況における国民の合意形成運動である場合、批判的理性はそれにどう対決していくのだろうか。その意味でこそ、ファシスト的公共性の分析が要請されているといえよう。

二〇一二年の官邸周辺デモを礼讃する柄谷論文から私が受けたのは、一九八九年のベルリンの壁崩壊後にハーバーマスが論じた「市民社会の再発見」という古いメロディの再演という印象だった。

3　ファスト政治と「輿論2・0」(二〇一〇年六月)

私は脱原発依存という方向性には大筋で賛成しつつも、「人がデモをする社会」に懐疑的、より正確にいえば極めて慎重である。それは市民的公共性で生まれる「輿論」とファシスト的公共性で生まれる「世論」を意識的に区別するべきだと主張してきたからにほかならない。論壇時評で取りあげられた最初の拙稿としては、二〇〇六年九月二六日の第一次安倍晋三内閣発足後に執筆した「言葉にならない「世論」から対話可能な「輿論」へ——「民主主義」と「ポピュリズム」の境界」(『論座』朝日新聞社・二〇〇六年一二月号)がある。読売新聞「論壇」欄では「デモクラシーとこのポピュリズムを判別する概念としての、パブリック・オピニオンとポピュラー・センティメントを論じている」(猪木武徳)と紹介された。

その論考は後に『輿論と世論――日本的民意の系譜学』の終章の一部となった。ここでも「輿論」(パブリック・オピニオン)と「世論」(ポピュラー・センチメンツ)をモデル化した図2−1(本書五四頁参照)を示し、両者の区別を訴えていた。

こうした輿論と世論の混同、さらに「輿論の世論化」こそ、総合雑誌を含むジャーナリズムから責任感を奪ってしまった一因と私は考えている。輿論(公的意見)を指導するならば当然責任も問われるが、世論(全体の気分)を反映するだけなら無責任でいられるからである。もし、論壇が「公論を形成する機関」であるならば、まず「輿論」という言葉を取り戻すことが必要なのである。それこそが空気のような世論を批判する足場であり、論壇とはまさに「言葉にならない世論」を「対話可能な輿論」へと変換していく空間なのである。二〇〇六年当時、第一次安倍内閣を論じた『論座』論文を私はこう結んでいる。

＊　＊　＊

一般的に世論民主主義は人気を基盤とするため、内政優位の政治になりがちである。さらに国内の多様な利害対立を超越したレベルで幅広い支持を集めるべく、外部に敵を作る対外強硬路線もしばしば採用される。小泉政権の高支持率の背景に、中韓両国への強硬姿勢があったことは確実である。それは相手側の中韓両国にも当てはまることで、内政の優位は時代状況や政治体制の違いを超えた大衆政治の慣性である。北朝鮮の核実験という「北風」に乗った安倍政権が世論調査の支持率低下を恐れるなら、大胆な外交的転換は難しいにちがいない。

ベストセラーとなった安倍晋三『美しい国へ』も、徹底して「内向き」世論志向の著作である。そもそも外交の言葉、あるいは輿論として「正しい国」はあっても「美しい国」はありえない。敢えて、わかりやすい例で考えてみよう。「正しい日本」が「悪しき北朝鮮」を批判するという構図ならば、国際政治の議論の俎上にはのるだろう。安保理の制裁決議はその成果だと考えてもよい。もちろん「正しさ」の主張に説明責任が伴うことは自明である。しかし、「美しい日本」が「醜い北朝鮮」を非難するという図式は、戦争プロパガンダとしてはあるだろうが、その真偽を論じる余地がない。美醜を基準とする世論と、真偽を追究する輿論を意識的に区別する必要はここにも存在している。輿論は開かれた対話から生まれ、世論は内向きの共感から生まれる。

結局、小学校から「読み方はヨロンでもセロンでも正解」と学び、「世論尊重こそが民主主義」と教えられてきた戦後世代の私たちは、世論の暴走、あるいはブレーキを欠いた民主主義——ポピュリズムと呼びかえてもよい——を正しく批判する枠組みをもってはいない。民主主義とポピュリズムの境界に目を凝らすためには、「輿論」public opinionと「世論」popular sentimentsを意識的に使い分け、「輿論の世論化」に抗して「感情〈セロン〉の言説〈ヨロン〉化」に努めることがまず必要なのではあるまいか。

＊　＊　＊

その後も私は世論の再輿論化について思考を続けた。この延長線上で、「内閣支持率とファスト政治」という文章を二〇一〇年六月一五日付『東京新聞』夕刊に寄稿した。菅直人内閣成立直後に執筆した文章である。本書第一章の内容と重複するが、私が新聞三社連合の論壇時評を書く契機の一つではあろうから、その後半部分を引用しておきたい。

＊　＊　＊

鳩山前首相は退陣表明で「国民が聞く耳をもたなくなった」と語ったが、より正確には「国民に見すてられた」と言うべきだろう。内閣支持率で動く世論政治のお手軽さを表現するためには「見すてる」という言葉がふさわしい。見て、捨てるのは「観客」である。

もちろん、こうした観客民主主義は今に始まったことではない。参加政治を観客政治に変質させたのは普通選挙制度であり、観客に参加感覚を与えるシステムとしてマス・コミュニケーションは機能した。メディアが頻繁に実施する世論調査も、この意味では「参加なき参加感覚」を再生産する装置である。

そもそも科学的世論調査の始まりは一九三五年、G・ギャラップによるアメリカ世論研究所設立とされるが、世論調査に飛びついたのは議会の反対を押し切ってニューディール政策を推進したルーズベルト政権である。議会多数派に代わる民意の根拠として世論調査結果が提示され、長期化する議会審議をスキップして「人民の声」で即決するファスト（高速）政治の誕生である。ちなみに、ファストフードの代名詞「マクドナルド」の創業も同政権下の一九四〇年だ。いずれにせよ、世論調査の活用が熟議を退けるファスト政治への欲求から生まれたことを私たちは忘れてはならない。

ファスト政治は情報技術（IT）の発展とともにさらなる加速化を遂げた。小泉メールマガジンに始まる日本政治のIT化は、鳩山ツイッターの実況政治に至った。ツイッターで日常を刻々と実況する鳩山首相にとって、政治とは実況を前提とするニュースである。ニュースが文字通り「新奇なこと」であるとすれば、その実況を前提とする政治は不安定なものとならざるを得ない。また、絶え間なく「新奇なこと」が起こると信じて疑わない現代人は、もっぱら「いま、ここ」の情報処理に追われている。そのため、過去に学ぶ余裕も未来を構想する気力も失われがちなのである。

ファスト政治、実況政治という点では、インターネットで実況中継された「事業仕分け」も忘れてはならない。即断即決のスピード感のため観客に人気が高かったようだが、いかにもツイッター時代のメディア・イベントである。しかし、こうした実況政治の手法では歴史的経緯を踏まえて粘り強く外交案件を解決することなど不可能というほかないだろう。

普天間基地移設問題をめぐる迷走は鳩山ツイッター政治の未熟さに尽きるが、ほとんどの観客は五月末の決着が無理だと分かっていたはずである。無理を承知で見守りながら、期限がくれば見すてる観客、こうした有権者にも相応の責任はあるというべきではあるまいか。

鳩山内閣の挫折は、内閣支持率報道と連動するファスト政治の中で政治家と有権者の忍耐力が急速に失われていることをよく示している。ファスト政治は政治家の成長を待つ時間的余裕さえ奪っているのかもしれない。それは参院選候補の顔ぶれをみても明らかだろう。与野党を問わずタレントやスポーツ選手の「有名」候補が目立っている。知名度の即時的効果のみが考慮されており、政治的能力とその成熟がまじめに検討されたとは到底思えない結果である。せめて、有権者はファスト政治を超える視点を持ちたいものである。

＊　＊　＊

この二〇一〇年時点では、「小泉メールマガジン政治」、「鳩山ツイッター政治」に言及しているが、「安倍フェイスブック政治」を加えれば、「災後」でも十分に通用したはずだ。メディアの世論調査報道が加速化させる即断即決政治を「ファスト政治」として批判したこの論説は好評だったようで、いくつかの新聞や雑誌から発展的な寄稿を求められた。それぞれ視点を変えつつ執筆したが、本書第一章に収載した「ファスト政治と世論調査民主主義」(掲載タイトルは「「いま、ここ」での即決迫るファスト政治の危うさ」)もその一つである。それは二〇一〇年一〇月二八日付朝日新聞の論壇時評(東浩紀「ポピュリズム――〝有権者の消費者化〟に可能性」)で取りあげられている。

佐藤卓己「「いま、ここ」での即決迫るファスト政治の危うさ」は、有権者が熟議を経て到達する「輿論」と集団的な感情の発露にすぎない「世論」を区別し、後者が優位になった現在の状況をファストフードに準《なぞら》えて「ファスト政治」と名づけている。世論調査の頻繁化に加え、ブログやツイッターなどの台頭は「世論」の可視化を推し進めた。しかし、感情的な世論への即応性ばかり求められる状況では、政策論争など成立しようがない。したがって佐藤は、成熟した政治文化の設立のためには、世論調査的でネット的な高速のコミュニケーションではなく、ゆったりした「熟議する時間」が必要だと結論づける。

世論に対して輿論を、ネットに対して熟議を立てるこの提言はじつに良識的で、だれもが頷《うなず》くものだろう。しかし、それだけに観念的とも言える。佐藤は熟議の導入を求めるが、現状はそもそも人々が熟議に背を向けたからこうなっている。ネットの速度の生活への浸透も、今後強まりこそすれ弱まりはしまい。

むしろここで必要なのは、現状の不可避性を受け入れたうえで、それを逆手に取るような柔軟な思考ではないか。じつはその萌芽《ほうが》も佐藤の考察に隠されている。

佐藤は苅部直との対談「「ファスト政治」への処方箋」(『中央公論』一一月号)で、ファスト化は社会全体に及んでおり、結果として人々は、政治を「日常生活で発生する問題を簡単に解決してくれる」「マシン」としてしか想像できなくなっていると指摘する。〔傍点は引用者〕

良識的ゆえに観念論だ、という東浩紀の指摘はなるほど痛い所を突いている。そもそも私自身が熟議を実践してきたといえるだろうか、そう自省する契機となった。この反省の上に立って「輿論の世論化」を反転した「世論の輿論化」を、私は「輿論2・0」と呼ぶようになった（本書第二章を参照）。「輿論2・0」はもちろん、東浩紀の「一般意志2・0」という呼び方に倣ったもので、再浮上する「新しい輿論」をとりあえずはこう呼びたいと考えている。この「世論」と「輿論2・0」を見分けるために、良識的にして実用的、つまりプラグマティックな指標として、ウィルバー・シュラムの古典的論文「ニュースの本質」（一九四九年）を引用しつつ、その主張は即時報酬的か遅延報酬的かで見分けることを主張してきた（本書六頁参照）。

即時的な感情のレベルなら世論だが、十分な時間をかけて自己内対話を含む討議で熟成させられた意見が「輿論2・0」である。逆にいえば、熱しやすく冷めやすい世論とはちがって、「輿論2・0」は時間の経過に耐える意見である。このように時間への耐性という視点で考えると、活字メディアの重要性は今日もなお揺らいではいない。むしろ最強の即時報酬メディアであるインターネットが基軸となる現代社会において、ますます重要度はましてくる。また速報性を必要とする新聞のウェブ化が不可避であるならば、総合雑誌や新書はいっそう遅延報酬的、つまり教育的な「輿論2・0」のメディアをめざすべきなのではなかろうか。

第四章　情動社会

安保法制反対運動が盛り上がった第二次安倍晋三内閣期（二〇一二～一四年）の「世論調査政治」に関する論考である。

多くの文明史家が狩猟採集社会―農耕社会―工業社会の次に情報社会が来ると論じてきた。私も教科書ではそう書いていたわけだが、現実に到来したのは情報社会 information society ではなく、情動社会 affect society だったようだ。それは現実原理（遅延報酬）より快楽原理（即時報酬）が優先され、「メッセージの真偽を測る文脈」よりも「メディアの信疑を決める接続」に依拠する社会である。「デモする社会」の礼讃も情動社会化の一現象といえるが、そこに向き合うことで私は「輿論2・0」の具体的な道筋をさぐるようになった。

第1節の「世論調査の「よろん」とは?」は、二〇一五年安保法制に反対する街頭デモの熱気が冷めた段階で特集「世論をめぐる困難」(『放送メディア研究』第一三号・二〇一六年二月)の総論として執筆した。なお、この特集には、私の「輿論と世論」区分論への優れた批判を含む社会学者・佐藤俊樹の「世論と世論調査の社会学――「前面化」と「潜在化」の現在と未来」が掲載されている。さらに佐藤は「制度と技術と民主主義――インターネット民主主義原論」(『岩波講座 現代9 デジタル情報社会の未来』二〇一六年六月)でも「輿論と世論」区分を批判的に検討している。

第2節は、右に挙げた佐藤俊樹の二論文が『メディアと社会の連環――ルーマンの経験的システム論から』(東京大学出版会・二〇二三年二月)に収載されたので、これを機会にまとめて応答すべく執筆した未発表の原稿である。その一部はすでに「総説――デジタル情報社会をバックミラーで観る」(『岩波講座 現代9 デジタル情報社会の未来』)で書いた内容である。私は佐藤俊樹の批判に納得しながらも、「それにもかかわらず」新たな輿論主義が必要だといまも考えている。

第3節は、こうした世論調査政治が情動社会におけるジャーナリストの「体感自由」に与える影響を論じた「「報道の自由度ランキング」の違和感」(『アステイオン』第八五号・二〇一六年一一月）である。

国際ＮＧＯ「国境なき記者団」が年一回発表するランキングは、二〇一五年安保法制の影響で前年の六一位から二〇一六年に七一位に急落し、各種メディアで大きく報じられた。しかし、その後はおおむね六〇位台後半で安定的に推移して最近は話題になることも少なくなった。二〇二二年度は七一位、二〇二三年度は六八位と大きな変動はない。最新のランキングは二〇二四年五月三日に発表され、一八〇カ国・地域中で日本は昨年から二つ順位を下げて七〇位、先進七カ国（Ｇ７）では最下位となっている。隣国では韓国が昨年の四七位から六二位へ大きく下げる一方、昨年ワースト２の中国が一七二位、最下位の北朝鮮が一七七位に浮上した。ちなみに、一六二位のロシアと戦っている戦時体制下のウクライナは六一位となっている。

1　世論調査の「よろん」とは？（二〇一六年二月）

公的意見か民衆感情か

この特集「世論をめぐる困難」が構想されたとき、二〇一五年が戦後「世論」の曲がり角となることはどれほど意識されていたのだろうか。ここでは、まず「一五年安保」報道における世論の判りにくさを具体的に示し、そうした判りにくさの歴史的背景をメディア史的に概説し、その上で新しい「よろん」の可能性について展望したい。

集団的自衛権を容認する安保関連法案は二〇一五年七月一六日に衆議院、さらに九月一九日に参議院で可決成立したが、それをめぐる報道では「世論（あるいは国論）を二分する」という表現がよく使用された。与党が過半数を擁する国会の周辺では連日デモが繰り返され、「民意」とは何か、さらには世論尊重の民主主義とは何かもさまざまに議論された。また、反対派のデモの評価をめぐっては、安保関連法案を原則支持する読売・日経・産経と原則反対の朝日・毎日・東京などで立ち位置は大きく異なっていた（「「最大デモ」の扱い各紙で割れる」二〇一五年九月七日付『毎日新聞』）。

当然ながら、報道各社が毎月繰り返した安保法案の賛否や内閣の支持・不支持を問う世論調査にもばらつきが見られた。しかし、ここで注目したいのは、新聞報道においては法案への賛否よりも内閣支持率の推移が終始重視されたことである。ここでは、衆議院で法案通過直後に

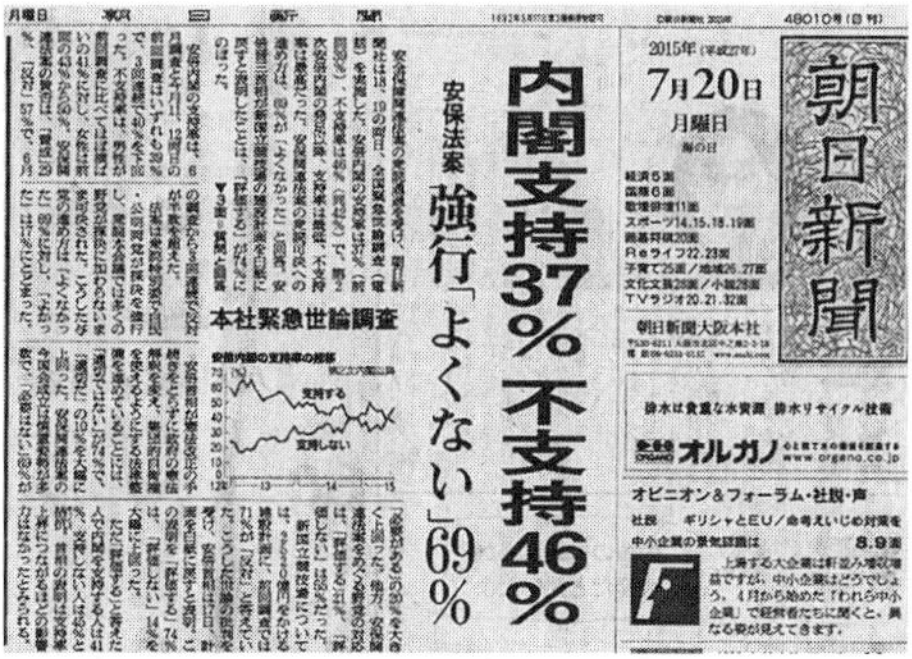
朝日新聞
2015年（平成27年）
7月20日
月曜日
内閣支持37％ 不支持46％
安保法案 強行「よくない」69％
本社緊急世論調査

図4–1　2015年7月20日『朝日新聞』朝刊第1面

行われた全国緊急世論調査（電話、七月一八・一九日実施）の結果を報道した『朝日新聞』第一面トップ記事を典型として取り上げてみたい（図4–1）。

大見出しは「内閣支持37％　不支持46％」、その横に「安保法案強行「よくない」69％」が並べられている。一方、記事本文には「安保関連法案の賛否は、「賛成」29％、「反対」57％で、六月の調査から三回連続で反対が半数を超えた」とある。

安保法案の世論調査報道において、新聞社は内閣に対する感情の方が法案への意見より重要な「世論」だと判断していたのだろうか。あるいは内閣支持率の低下を訴える方が政権にダメージを与えることができると政局的な判断を

優先したのだろうか。ここで重要なことは、内閣支持率が明らかにするのは具体的な政策に対する国民の「意見」分布ではなく、首相をふくむ内閣への好感度という「感情」レベルだということだ。内閣支持率が示す国民感情と安保関連法案への意見分布がそもそも同じ「世論」といえるかどうかである。

それにしても、朝日新聞社が「法案　賛成29％　反対57％」の大見出しを掲げなかった理由は推測可能である。「三回連続で反対が半数を超えた」と記事にもあるが、実際には一年前、二〇一四年七月一日に集団的自衛権が閣議決定される約三カ月前の「賛成27％　反対56％」(四月一九・二〇日調査)と数値はほとんど変化していない。図4-1にも「安倍内閣の支持推移」グラフが掲載されているように、世論調査で重要なのは「数値そのもの」ではなく「数値の連続的変化」である。「数値そのもの」は調査主体や設問方法で大きく変わるので、同一調査における「数値の連続的変化」から世論は読み取られるべきなのである。

その上で、集団的自衛権と安保法案に関する朝日新聞社世論調査の場合、反対も賛成もこの一年間ほとんど変化していない。変化はニュースになるが、変化しないものはニュースとなりにくい。さらにいえば、それは集団的自衛権容認に反対の社論を掲げる新聞社にとって好ましい数値とは言えないはずだ。多くの特集や論説記事を使ったキャンペーンも「国民感情」への影響はともかく、「意見分布」にはまったく変化を与えていないことを示すからである。この調査結果は政論ジャーナリズムの無力を示す数字とも読める。他方で、内閣支持率は毎月変動しており、六月以降は一貫して数値は低下を続けていた。

しかし、景気動向や内閣改造などですぐに変化する、熱しやすく冷めやすい内閣支持率は「よろん」と呼ぶべきものだろうか。もしもそれが public opinion の訳語であるとすれば、猫の目のように変わるはずはない。その意味では、変化しない集団的自衛権への賛否比率こそが公的意見の分布であり、内閣支持率は popular sentiments（国民感情）を示す数値と考えることも可能である。もちろん、集団的自衛権や安保法制について十分な知識のない人も賛否を選択していると考えれば、前者でさえも感情分布と言えなくはない。だとすれば、「一五年安保」報道において内閣支持率を重視した新聞は、国民の「意見」ではなく「感情」を反映していたと言えるだろう。

大衆感情の制御システム

そもそも大衆政治が大衆参加を前提とする民主主義であるならば、理性的な討議よりも情緒的共感による参加＝動員が重視されるのは当然である。それを可能にするマス・コミュニケーションと世論調査は、観客民主主義の有権者に参加感覚を与える制御システムとして編成されたものである。そしてメディアが「広告媒体」である限り、こうした世論調査システムは必要不可欠のものであった。それが消費者あるいは聴取者の「思考」、より正確には「嗜好」を計量できるからである。ハーバーマスの言葉を使うなら、世論調査による「合意の工学」は「文化を議論する公衆から文化を消費する公衆へ」の変化を促したのである。こうした公共性の再封建化をハーバーマスは『公共性の構造転換』(未来社・一九七三年)で次のように批判している。

このような合意の風潮の中でのみ、「人物や製品や組織やアイディアを公衆へ推奨し、公衆の好評を示唆し強請する」ことができるからである。このようにして喚び起こされた消費者たちの気運は、自分たちが論議する民間人として責任をもって公論の形成に参加しているかのような、贋《にせ》の意識によって媒介されている。

これと同じように世論調査を「合意の製造」システムとして批判する言説は、日本でもGHQの占領終了直後から存在していた(本書二一頁を参照)。

一九二三年の関東大震災がラジオ文明への画期だったとすれば(第二章第3節を参照)、二〇一一年三月一一日の東日本大震災は「輿論の世論化」が極限にまで達した時期に発生したといえる。二〇〇六年九月に五年間続いた小泉純一郎内閣の後、3・11までの五年間で内閣は安倍晋

三、福田康夫、麻生太郎、鳩山由紀夫、菅直人とめまぐるしく入れ替わった。こうした短命政権の背景に、新聞やテレビが乱発する内閣支持率ニュースがあることはよく指摘されてきた（本書一九〜二〇頁参照）。新聞各紙は社説では「政治は空気に流されるべきではない」、「議論が大切だ」と繰り返すが、自社が行った内閣支持率の結果は第一面トップで報じ続けた。そのため、内閣支持率が「二〇％を割れば政局」が常識となって今日に至る。

しかし、内閣支持率に象徴される電話世論調査のデータは「感情観測」であっても「意見分布」ではないだろう。コンピュータでランダムに電話するRDD方式において、回答者は電話口での即答を求められる。マスコミの論調をオウム返しに回答する人は少なくない。こうして増殖する雰囲気の統計値を「民意」と見なすことははたして理性的なことだろうか。だが、こうした世論調査結果もかつて輿論が帯びていた理想型の響きは残しており、あたかも「日々の国民投票」のごとく政治的正統性の裏付けに利用されてきた。むろん、国民感情そのものは公的意見とは別に政治の重要ファクターである。それを軽視して大衆政治は成り立たない。ちょうど健康管理のために体温測定を繰り返すように世論調査が行われること自体に問題があるわけではない。むしろ、必要なことである。しかし、その調査結果は政治が始まるスタート地点であって、結論を出す「日々の国民投票」などではない。そのためにも、現行の世論調査は

「国民感情調査」と割り切って、科学的な分析が必要なのである。

戦後日本人の階層帰属意識調査を検証した計量社会学者・吉川徹も「総中流の輿論と世論」(『三田社会学』第一七号・二〇一二年)で「社会調査で測り出される社会意識は世論であって、輿論ではない」と述べている。

社会調査では、対象者は調査主体側が設定したアジェンダに従って、それまで考えたことのない事項について意見を求められる。これは積極的に表明された揺るぎない意見だとはみなしがたい。(略)そうして集められた意見の集積体である回答分布に、市民の確たる価値判断や論理的な思考の筋道を見出そうとするのは、やや行き過ぎた期待だということになる。これが輿論と呼びうるフェーズにまで昇華するには、メディアや論壇における識者の深い読み解きと、強い意味づけが介在する必要があるのだ。

計量社会学者の立場では、世論を示す数値の解釈で「輿論に誘引されすぎない」よう警戒が必要だという吉川の指摘も当然だろう。他方、メディア研究者として私は、こうした「世論」報道を有権者自身が批判的に理解する足場として、規範的な「輿論」概念を復権させることが最重要な課題と考える。加速化するファスト(高速)社会の中で、私たちは直観的判断の総和である国民感情に流されがちである。しかし、政治がそうした情動的決断で動くことは決して望ましいことではない。

それでは、不安定な内閣支持率などと異なって、急激な変化が起こらない天皇制や憲法などへの安定した世論(国民感情)の数値なら信頼できると言えるだろうか。この問題については境家史郎『憲法と世論――戦後日本人は憲法とどう向き合ってきたのか』(筑摩選書・二〇一七年)が興味深いデータを示している。

そもそも有権者が憲法、その第一条(天皇)への定見をもって世論調査に回答しているとは言えないようだ。福祉サービスや納税額とちがって日常的に憲法に関心をもつ有権者は少ない。多くの有権者は憲法について十分な知識をもっていない。「二一世紀日本人の社会・政治意識に関する調査」(早稲田大学・二〇〇五年)によれば、「戦争放棄条項を含むのは第何条だと思いますか」の四択問題で正答率は六七％だった。「わからない」二九％はたとえ無知だとしても、当てずっぽうで答えない誠実な人びとである。当てずっぽうで「九条」を選んだ人もいるはずなので、「九条＝戦争放棄」を明確に認識している有権者は六割程度だろうか。さらに各政党の憲法に対する立場をたずねた二〇〇一年のＪＥＳ(投票行動研究会)Ⅲ調査によれば、社民党と共産党を護憲政党と正答したのはそれぞれ三三％と三〇％であり、どちらも一一％が改憲政党、それ以外の約六割が「わからない」を選んでいた。こうした知識分布の状況下で改憲／護憲の民意が問われてよいのかどうか。

さらに境家は、政治家と有権者で憲法意識の安定性が大きく異なることを二〇一二年と二〇一四年の参議院選挙時に行われたパネル調査（東大・朝日共同調査）から明らかにしている。この二年間のうちに護憲と改憲の間で態度を変えた政治家は一割未満だが、有権者では改憲派も護憲派も三割前後が態度を変えていた。この調査を見るかぎり、世論調査の国民感情よりも政治家の憲法意識の方がより安定的であると言えるのかもしれない。むろん、国民の感情と政治家の意識をすりあわせ、輿論にまとめあげることが、成熟社会のデモクラシーには求められている。

「討論型世論」の限界

政治と国民感情との折り合いが不可欠なのは、まず外交だろう。特に東アジア外交は「反中嫌韓」の世論を前提に難しい舵取りが必要となっている。内閣府広報室「外交に関する世論調査」（二〇一四年）によれば、中国や韓国に「親しみを感じない」者の割合はそれぞれ八三・一％、六六・四％まで増加している（二〇一三年九月の同じ調査では、中国に「親しみを感じない」は過去最高の八六・七％まで上昇する一方、政権交代のあった韓国に「親しみを感じない」は四六・四％まで減少している)。

注意すべき点は、これが国民感情の「世論」であって、公的意見の「輿論」ではないことだろう。さらに問題なのは、この調査結果でも世論は public opinion と英語表記されるわけだが、中国や台湾、韓国など漢字文化圏で public opinion は輿論(舆论)と表記されており、戦後日本でだけ「世論」が使われていることである。この言語状況で国民世論に関する理性的な外交対話が可能かどうか。日本語に「輿論」を取り戻すとともに、中国語に「世論」を輸出する努力も必要だろう。ちなみに、拙著『輿論と世論』の中国語版は『舆论与世论』(汪平ほか訳、南京大学出版社・二〇一三年)として刊行されている。これまでも「世論」を批判する足場として「輿論」という文字を復興することを私は繰り返し主張してきた。しかし、それは東アジアの漢字文化圏での理性的討議を可能にするためにも必要だということを改めて強調しておきたい。

そうした「輿論」復興の可能性をさぐる社会実験として、討論型世論調査 deliberative poll にふれておきたい。それは福島原発事故を受けて政府が実施した「エネルギー・環境の選択肢に関する討論型世論調査」(二〇一二年)の試みである。一回限りの質問に答える通常の世論調査とは異なって、討論型世論調査は討論に必要な参考資料や専門家からの情報提供を受けて回答し、さらにグループ討議、全体会議でじっくりと議論した後に、再度回答して意見の変化を分析する社会実験である。スタンフォード大学のジェームズ・フィシュキンらが提案した調査技法で、最初の実験は一九九四年にイギリスで行われているが、政府の政策決定過程に正式に採用された調査としては民主党政権による日本での実施が世界初の試みとなった(曽根泰教・柳瀬昇・上木原弘修・島田圭介『「学ぶ、考える、話しあう」討論型世論調査――議論の新しい仕組み』木楽舎・二〇一三年)。特に重要なのは、これが「学ぶ」プロセスを含む世論調査手法であるという点である。

当時の菅直人内閣は「原発」をめぐる議論を広く国民に呼びかけ、二〇三〇年時点での電力構成の三案を提示した。すなわち、「原発比率を震災前に戻す二〇〜二五%」、「ゆるやかな脱原発依存一五%」、「すみやかな脱原発〇%」の三択である。この選択肢について、政府は意見聴取会開催やパブリックコメント募集などに加えて、討論型世論調査の実施を決定した。強い意見を持つ人が集中したパブリックコメントでは、原発「即ゼロ」シナリオが八七%と圧倒的だったが、一般の世論調査結果とは掛け離れていた。共同通信社の調査(二〇一二年八月一一・一二日)では〇%シナリオは四二%、一五%シナリオは三四%、二〇〜二五%シナリオは一七%だった。他の新聞社調査でも、一五%シナリオが四割から五割を占めるものが多かった。

討論型世論調査は二〇一二年七月にまずマスコミと同じくRDD方式で一万二〇〇〇人に電

話して六八四九人から選択肢の回答を得た。その回答者から八月四日、五日に実施する一泊二日の討論会参加者が募られ、二八五人（予定者は三〇一人）が討論会に参加した。その際、参加者に配布された討議資料パンフレットの冒頭には次のように書かれている。

> 二〇三〇年までの道筋を探るということは、実は国民に対し難しい選択を迫るものです。明るい未来を描きにくい現状があります。それは、安全で、安価で、安定的な供給が可能で、二酸化炭素（CO_2）を排出することのないエネルギーは、今、存在しないからです。〔略〕現在の選択は、以下を読んでいただき、またその他の資料を調べていただければわかるように、何かを我慢せざるをえないし、かなりの決断を強いられます。また、国民が現在何を選択するかは、二〇三〇年の未来の社会であり、将来の世代に対する制約条件にもなります。〔略〕同時に、そのときには、国民は自らが選択した社会にどう関わるか、どんなことをしなければならないのかということを考えることでもあります。〔傍点は引用者〕

まさに、「災後の文明」を問うアンケート調査であったことがわかる。しかし、それゆえにこの討論型世論調査の困難さも明らかである。すでにピエール・ブルデューは「世論なんてない」（田原音和監訳『社会学の社会学』藤原書店・一九九一年）において、次のように述べている。

> こうした〔問いに答える政治的〕能力は、誰にでも備わっているものではありません。この能

力は、大まかに見ると、学歴水準に応じて異なっています。言い方を換えれば、ある人が政治的知識を前提とした一切の質問に対して何らかの意見をもつ確率は、その人が美術館に行く確率とほぼ同じと見ていいのです。〔傍点は引用者〕

実際、電話を受けた一万二〇〇〇人のうち二八五人、つまり二・四%が討論に参加したが、それは「美術館に行く確率」と比較して少ないというべきではないだろう。いずれにせよ、二八五名は資料を読み、討論に参加し、その前後で二回のアンケート調査に答えている。電話調査を含め三回の調査における回答の変化は分析され、その結果は二〇一二年八月二二日、二七日、二八日に行われた「国民的議論に関する検証会合」(内閣官房国家戦略室所管)で検討された。その専門委員として検証会合に参加した私は、この討論型世論調査で世論を輿論へ高めることが出来たかどうかに注目していた。

グループ討論の後で「〇%シナリオ」の支持者は四一%から四七%に増加しており、検証会合の報告書では「大きな方向性として、少なくとも過半の国民は原発に依存しない社会の実現を望んでいる」とまとめられた。熟議民主主義の実験として、その意義は小さくなかったと評価するが、この「国民的議論」が「国民は自らが選択した社会にどう関わるか」という問いに十分な答えを出したとは言えない。つまり、その結果から「脱原発の国民的な覚悟」を明確に読み取ることは出来ないからである。それを検証するためには、一年後なり二年後にパネル調査を繰り返す必要があったわけだが、その後の政権交代でその見込みもなくなってしまった。

二〇一二年の討論型世論調査に意味があったとすれば、目標を直近ではなく、一八年後の二〇三〇年に設定したことで、討論に遅延報酬という発想を組み込んだことだろう。そもそも討論型世論調査には広義のリテラシー教育、あるいは政治教育という側面があるわけだが、教育は遅延報酬を目的とする活動の典型である。人間が成長するプロセスへの信頼と将来の成果への期待がなければ行えないのが教育である。国民感情(世論)は遅延報酬を前提とした、つまり教育的な討論、「学ぶ」プロセスを通じて初めて公的意見(輿論)になる。

しかし、残念なことは当時実施した政府においても、その点が十分に意識されていたとは言えない。この教育的側面については検証会合でも調査者のサンプリングに関連して多くの問題点が指摘された。というのも、未来社会と切実に向き合うべき若年層の討論への参加は極端に少なかった。有権者に限られたため一〇代はあらかじめ排除されていたし、二〇代の参加者もわずか四・九％にすぎなかった。一泊二日の討論に参加した(できた)人は男性が六七％、六〇代以上が四七・〇％となっており、日本社会全体の母集団からも大きな偏りが生じていた。こうした年齢・性別の偏りは、「活字文明」の遺制と見ることもできるだろう。つまり、文字記号の習熟度によって階層化された活字リテラシーにおいては、一般に学習年限が長かった男性高齢者の優位が続いてきたからである。だが第三章で見たように、そうした活字的な教養主義はもはや終焉している。さらにいえば、第二章で確認したように、活字文明の黄昏はすでに一九二〇年代の「ラジオ文明」論で予言されていた。まして、若者文化が前景化する「ウェブ2・0」時代に高齢者の世論支配は理屈上はありえないはずだ。

しかし、仕事や家事より討論を優先できるのはリタイアした高齢者、つまり一八年後は生物学的に消滅しかけている旧世代である。あるいは、原子力発電の恩恵をすでに十分享受してきたので、もう質素な生活でも我慢できる「食い逃げ世代」と言えなくもない。実際、討論型世論調査の結果でも若い世代ほど原子力発電の必要を認める人が多く、二〇代・三〇代では討論をした後に「原子力発電選択者」が有意に増加している。

こうした世代間ギャップが問題なのは単に利害の対立が存在するためだけではない。人間は残された寿命が三日であれば快楽を求め、三〇年であれば自己実現や社会的承認を求める。それが人情というものだろう。そして快楽原理は即時報酬を要求するし、自己実現や社会的承認は遅延報酬に考慮することで達成される。だとすれば、若い世代の方が遅延報酬の議論ができる情況にあり、高齢者が討論でよく口にしたという「子供や孫の将来を考えて、原子力発電は止めておきたい」という意見を額面通りに信じてよいものかどうか。曽根泰教は前掲書において、次のように書いている。

特に数の上で多数派の高齢者が若い世代の意見やニーズを慮《おもんぱか》って発言することは、二重の意味で危険だ。なぜなら、一つは、その発言が若い世代の意見やニーズからずれていないかという点。二つ目は、若い人を思いやったという気持ちの点で、当の高齢者がずれに気づきにくいという点である。

つまり、意図において世論の輿論化を目ざした高齢者の意見こそが、「いま・ここ」での快楽原理に左右されている可能性である。その意味では、輿論とは若い世代が自らの責任と未来における遅延報酬の期待において形成すべきものである。原発問題にしろ、震災復興にしろ、私たちは遅延報酬を期待しつつ長期的ビジョンを議論する習慣を身につけるべきなのだ。将来の遅延報酬という前提が共有されていてはじめて、一八年後に人々の視線を向ける討論型世論調査は「世論の輿論化」に向けた教育的機能を発揮するはずである。

それにもかかわらず、世代を超えて「子どもや孫の将来を考える」思考形式はやはり大切にしたい。最強の即時報酬メディアであるインターネットが基軸となる社会において、輿論に必要な時間的耐性を鍛えあげるためである。特に、説得すべき他者と立ち位置が逆転する場合

（反転可能性）と結果が確認できるまで長い時間待つ必要がある場合（繰り延べ可能性）を考慮した上で、なおも自分は同じ主張を続けられるかどうか。それが輿論（公的意見）を世論（私的心情）と分ける試金石なのである。そうした内省の思考チェックが民意のリテラシーとして国民すべてに求められているからである。

2 もうパブリック・オピニオンはないのか（二〇一六年六月）

インターネット民主主義原論

輿論と世論を峻別すべきとする私の議論への、最も鋭い批判は社会学者・佐藤俊樹による二つの論文である。輿論と世論を区別する議論の歴史的意義は認めつつも、そもそも現代社会のコミュニケーションシステムにおいて理性的討議による輿論（パブリック・オピニオン）形成など不可能ではないのか、と根本的な疑義が提示されている。まずは「制度と技術と民主主義――インターネット民主主義原論」から見てみよう。重要なポイントを衝いており、読みながら「なるほど」と唸ってしまった。

この論文では、情報技術が「真の」民主主義を実現するというインターネット民主主義のシ

(A)自己決定：	(A0)制限選挙制 —	(A1)直接民主制 —	(A2)普通間接民主制
	↑ ↓	⇑ ⇓	↑ ↓
(B)声の表出：	(B0)「歓呼賛同」—	(B1)一般投票制 —	(B2)世論調査政治

ステムについて、技術がもたらす自由度との関係で考察されている。そこで佐藤は現実の民主政治を古代アテネにさかのぼり、（A）自己決定 autonomy と（B）声の表出 expression の二面に切り分けて議論を展開している。自己決定とは「一般成員が自分たちのことについて決定する」ことであり、声の表出とは「一般成員の意見や感情を最大限反映させて決定する」ことである。

この（A）自己決定／（B）声の表出の特性は、公共的 public／大衆的 popular とも重なる。大切なことは、「自己決定は自己決定であるために、時間を必要とする」と佐藤が書いていることである。公的意見 public opinion が自己内対話をふくめて討議を前提とした意見だとすれば、なおさら一定以上の時間が必要となる。時間的な経過をもたない対話はありえないからである。

しかし、普遍選挙によって（A1）直接民主制と（B1）一般投票制をともに薄めた形で統合した現代社会では、そもそも public／popular の区別ができない。だとすれば、（A）自己決定／（B）声の表出を public opinion（輿論）／popular sentiments（世論）に重ねることもできない、と佐藤はいう。その理由を次のように説明している。

この点は一〇〇年以上前に決着ずみだと考えている。〔略〕一九世紀以降の民主

> 政は普通選挙権を通じて（A）と（B）を統合した。それ以来、publicはpopularであり、popularはpublicである。その同一性を認めない政治はそれ以前の都市民主政、（A0）制限選挙と（B0）「歓呼賛同」の変奏になる。それこそウェーバー自身をふくめて、一九世紀後半以降の西欧知識人は有産市民の末裔として、大衆民主主義に批判的な眼差しをむけてきたが、現代における「輿論／世論」はpopular opinionとpopular sentimentsであらざるをえない。〔傍点は引用者〕

だとすれば、現実に存在するのはポピュラー・オピニオンとパブリック・センチメンツの感情公共性のみであり、パブリック・オピニオンを生み出す市民的公共性は幻影に過ぎないということになるのだろう。あるいは、popular opinion（世論と書くヨロン）とpopular sentiments（セロンと読む世論）はあっても、もはや輿論（名実相伴うヨロン）は存在しえないと言えようか。その上で、右に引用した文章に続けて佐藤が書いている内容は特に重要だと考えている。

> そう考えた場合、sentimentsに対応する（B2）世論調査政治は、opinionに対応する（A2）普通間接民主制の天敵でも、寄生物でもない。機能的に分化した社会において、二つは相互に補完しあう。
> 世論より輿論が優れているわけではなく、世論（私的心情）こそが輿論（公的意見）の基盤であり、

世論がなくては輿論も成立しない。これは全《まった》き正論である。

確かに、二〇世紀の普通選挙体制は（A）自己決定と（B）声の表出の両者を結びつける擬制だった。インターネットはこの両者を再分離させ、その結びつけ方に新たな自由度をもたらした。この新たな自由度にどう対応するか、それこそが現代民主政の課題であり、その対応の一つが（A２）自己決定の普通間接民主制と（B２）声の表出の世論調査政治の組み合わせだと佐藤は論じている。実際、こうした世論調査政治の前面化は先進国社会のどこでも確認できる現象である。

この組み合わせが最も現実主義的であることを私も認めるが、世論調査政治が普通間接民主制を、つまり声の表出が自己決定を飲み込む危険性から目を背けることができない。私が「輿論／世論」という理想型を「自己決定／声の表出」に重ねたいと考える理由は、世論調査政治の肥大化に歯止めをかける必要を感じるからである

世論調査の前面化と潜在化

次に、『放送メディア研究』第一三号の特集に掲載された佐藤俊樹「世論と世論調査の社会学」を見てみよう。小泉純一郎内閣以来、メディアで一般に使われるようになった「世論調査

政治」だが、それは日本に限らず先進国社会で共通の現象であることがまず指摘されている。そこでは世論調査が政治の「舞台裏」あるいは背景ではなく、それ自体が「役者」すなわち重要な当事者(プレーヤー)になりつつあり、こうした変化を世論調査の「前面化」と佐藤は定義する。たとえば、調査結果である「世論」が新聞やテレビでトップニュースとなって政局を動かす事態である。

こうした「世論調査の前面化」とともに、ビックデータの解析技術が向上し、明示的な調査という形式をとらずにウェブ上にある「声」を分析することも可能となった。これを「世論調査の潜在化」と名づけている。この二つの傾向が「自己決定」と「声の表出」に基づく民主政治を必然的に「世論調査政治」とするわけだが、そこでは言論 opinion と感情 sentiments の区別さえ難しくなる。

「言論」と「感情」を強く区別できるのは、「感情」の方の担い手とされる人々が、政治的決定に強く関わらないか、強く関わらない方がよいと考えられているか、どちらかであることが多い。例えば、多くの国民の気持ちとは別個に重要な政治的決定がなされるにもかかわらず、多くの国民がそれに従うと想定される社会では「輿論／世論」を安定的に区別できる。この区別が第二次大戦前の日本では明確に保持され、戦後になって消えていく、

という歴史にはそういう文脈も考えられる。〔傍点は引用者〕

「輿論の世論化」の時期区分において正確を期すならば「第二次大戦前の日本では明確に保持され、戦後になって消えていく」は次のように修正すべきだろう。「第一次世界大戦までは保持され、一九二五年の普通選挙法による大衆政治のもとで消えていく」と、私は考えている。とはいえ、「輿論の世論化」が「政治の大衆化」とともに始まったとする見方では私たちは一致している。さらに佐藤は今日、日常的に「テレビを見る」習慣は全世代にわたるが、「新聞を読む」習慣は特定の世代に片寄っているデータを示し、「テレビが popular（大衆的・一般的）だとすれば、新聞は particular（特殊的・部分的）なメディア」と指摘する。だとすれば、新聞という部分的メディアが public（公的）な意見、すなわち公論 public opinion を担うことがなぜ可能なのか、たとえ可能だとしてそれに正統性はあるのか、と問い直している。その際、佐藤はルーマンの「世論」定義と重ねながら、public を「特定の誰か＝「私」に帰属しない」という意味だと述べている。この点では輿論（公的意見）を世論（私的心情）に分ける私の立場と齟齬はない。

とりわけ「戦後民主主義」のなかで、世論にはむしろ過剰な、道徳的な意味づけがされてきたように思う。みんなの意見だから正しい、みんなの意見だから優れている――そうした種類の思い込みである。この場合の「公」には、特定の誰かに帰属しないという消極的な意味をこえて、もっと積極的な正しさが想定されている。あえて単純化すれば、「公共のためになる意見」みたいな意味づけだ。戦後の日本社会のなかで、世論はそういう意味でも「正しい意見」とされてきた。

この「戦後民主主義」理解においても、おそらく佐藤と私の立場に大きな差異はないだろう。だからこそ私は、「世論に過剰な道徳的な正しさを読み込むこと」を避けるために現実の「世論」とは別に、「輿論」の理想型を保持するべきだと主張している。おそらく、社会調査(世論調査を含む)に自らたずさわる佐藤と、調査結果を外在的に考察する私の立ち位置の違いが理想型の評価を分けるのだろう。

いずれにせよ、今日まで輿論／世論の問題を持続的に考えることができたのは、佐藤のような鋭い批判者がいたおかげかもしれない。また、輿論／世論の識別基準として時間耐性を強調し、クリティカルシンキングの訳語に「耐性思考」を提案するようになったのも、そうした批判と真剣に向き合ってきたためだと言えなくもない。実際、地球環境や社会保障など長期的な時間軸での評価が欠かせない政治課題について、「制度と技術と民主主義」論文はこう結ばれている。

現代の私たちが想像できる「自己」は二〜三〇年程度の長さしかもたない。これを超える長期的な見通しや評価は、自己決定のしくみにはうまく乗せられない。〔略〕その点でいえば、ネットワークなどの即時性志向の情報技術と絡めて、現代の民主主義を考えること自体に一定の限界がある。だからこそ、技術が進めば進むほど、人間が直面する深刻な問題は人間自身から来るようになる。現代政治における情報技術の可能性にとっても、それこそが本当の挑戦の場になるはずだ。

まったく同感である。それゆえにこそ、佐藤の批判の正しさは認めつつも、「輿論」の言葉を消してはならないという歴史家としての信念は変わらない。本書で繰り返し述べてきたように、「世論」のリアルを批判する足場が理想型の「輿論」だからである。政治的にリアリストであり続けるためにこそ、理想のイメージは必要なのではないだろうか。

3　報道の自由度ランキング（二〇一六年一一月）

二〇一六年八月二一日、「伝説のジャーナリスト」むのたけじ（本名・武野武治）が一〇一歳で亡くなった。一九四〇年に朝日新聞社に入社したむのは、従軍記者として活躍し、一九四五年八月一五日に戦時報道の責任をとって辞表を提出した。敗戦のけじめを自らつけた唯一の朝日新聞記者であり、戦後は週刊新聞『たいまつ』で反戦の言論を続けていた。その死亡を伝える八月二二日付『朝日新聞』の社説「むのさん逝く　たいまつの火は消えず」はこう書いている。

むのさんはかつて、戦時中の朝日新聞社の空気をこう振り返っている。検閲官が社に来た記憶はない。軍部におもねる記者は一割に満たなかった。残る九割は自己規制で筆を曲げた。

確かに、むのは戦時下の言論の不自由について、「検閲よりはるかに有害であった自己規制」を指摘し、そこには新聞社内の「空気」が大きく作用したことを証言している。この「自己規制」を生む「空気」を生み出す背景を、ランキング思考と世論調査政治から検討してみたい。

さて、むのは生前最後のインタビュー連載「再思三考」（朝日新聞デジタル・二〇一六年三月九日）でこう語っていた。

「国境なき記者団」による報道の自由度ランキングが、安倍政権になってから世界61位まで下がった。誠に恥ずかしいことで、憂うべきことです。報道機関の踏ん張りどころです。

この発言の翌月、四月二〇日に二〇一六年度ランキングが発表され、日本はさらに七二位まで続落している。それにしても、むのが願った「報道機関の踏ん張りどころ」が「自主規制で筆を曲げるな」というメッセージであることは、先に引用した朝日社説からも明らかだろう。しかし、むの発言を単なる安倍晋三政権批判だと誤読する読者もいたのではあるまいか。

むのが言及した「報道の自由度ランキング」は、正確には「世界報道自由ランキング」Worldwide press freedom index という。パリに本部を置くＮＧＯ「国境なき記者団」Reporters Without Borders が二〇〇二年以降、二〇一一年をのぞいて毎年発行している。すでに述べたように、二〇一六年度版で日本の「報道の自由度」は一八〇国中、七二位に下落した。**図4-2**に示されているように、二〇一〇年の一一位「良い状況」から年々順位を下げて「問題がある状況」となっている(それ以後はおおむね六〇位台後半で推移し、話題となることはなくなった)。

二〇一六年は前年の安保法制騒動もあって、新聞やテレビで大きく報道されただけでなく、論壇でも注目され、『現代思想』二〇一六年七月号が特集「報道のリアル」を組んでいる。私は後述する理由からこの順位に驚かないが、せいぜい二〇位台後半あたりが妥当なところだろうと感じていた。この発表の直前に読んだ『中央公論』二〇一六年五月号の特集「ニッポンの実力」で「国際競争力二七位、労働生産性二一位、民主主義指標二三位」が強調されていたからである。

私と同様、この「報道の自由度ランキング」に違和感をもったジャーナリストは少なくなか

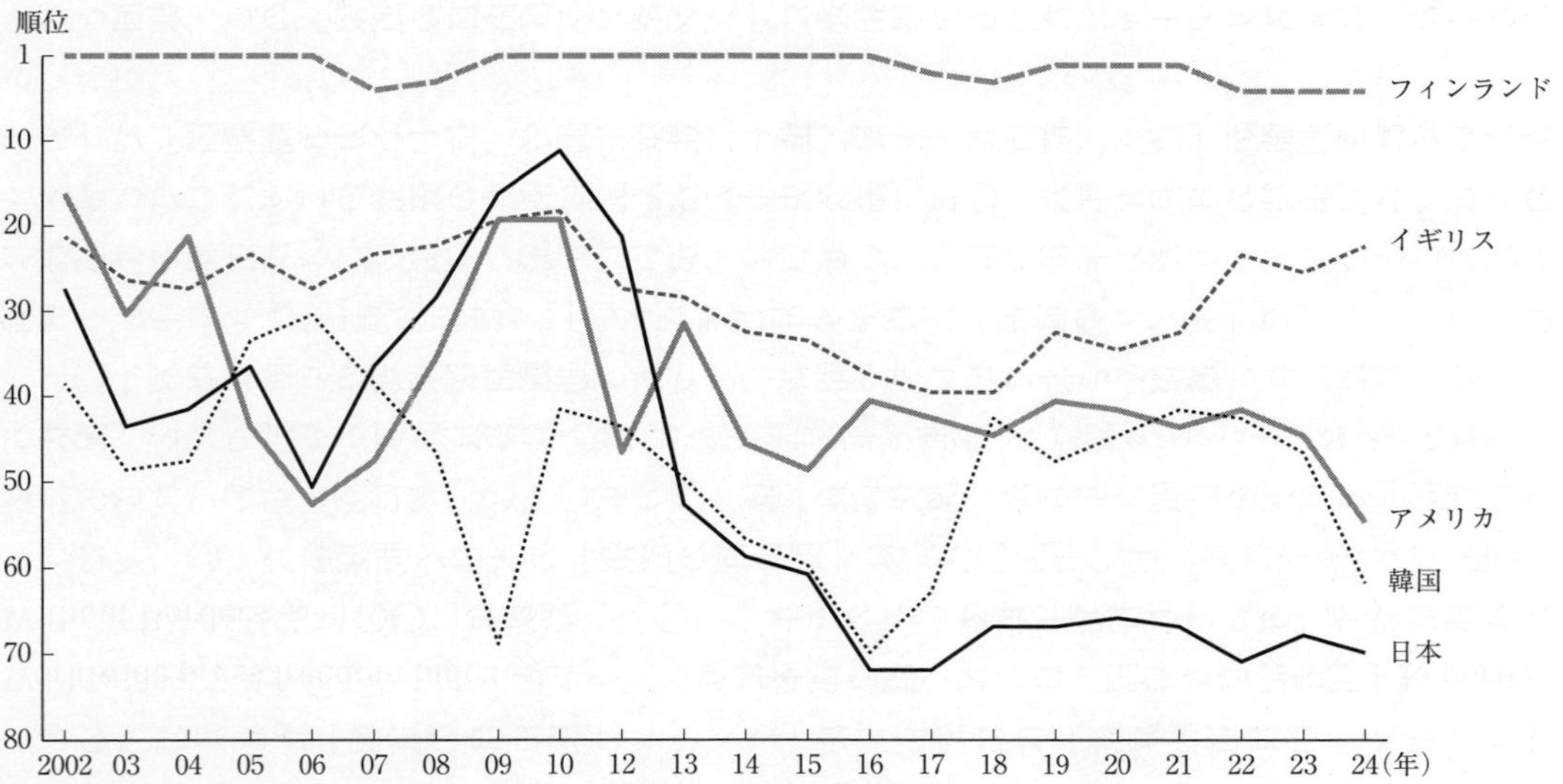

図 4–2　報道の自由度ランキングの変動

出典：Worldwide press freedom index より作成

ったようである。テレビ朝日の報道ステーションで後藤謙次(元共同通信社記者)が「実感がない」とコメントし、Yahoo ニュースでは江川紹子(元神奈川新聞記者)が「日本の「報道の自由」を考える――本当の問題はどこにあるのか」において、「ピンとこない」と書いている。江川はメディア総合研究所編『放送中止事件五〇年――テレビは何を伝えることを拒んだか』(花伝社・二〇〇五年)を引いて、現在よりもはるかに露骨な権力の報道介入が戦後もくり返されてきたことを指摘している。

また、二〇一六年五月四日付『朝日新聞』の「天声人語」も、このランキングで中国政府が言論弾圧を行っている香港(六九位)よりも日本の方が低いことに「驚いた」と書き、「西欧中心の見方ではないかと思う」と疑念を呈している。だが、このコラムは次のように結ばれている。

それにしても、昨今の自民党議員らによる居丈高な物言いは、やはり常軌を逸している。担当相が放送局に電波停止をちらつかせ、議員が報道機関を懲らしめる策を勉強会で披露する。あの種のふるまいがなければ、日本がここまで評判を落とすことはなかっただろう。

「あの種のふるまい」、すなわち「自民党議員らによる居丈高な物言い」がランキング下落の原因だという推定は、おそらく正しい。というのも、「報道の自由度ランキング」は当該国の専門家へのアンケートによる質的調査と「ジャーナリストに対する暴力の威嚇・行使」のデータを組み合わせて作成される。「専門家」とは報道関係者、弁護士、研究者などであり、彼らが前年比で報道の自由を実感できたか否かが大きなポイントとなる。なるほど、安倍政権のメディア対応は専門家の心証を害するものであったはずだ。

体感自由と内閣支持率政治

その意味では、ジャーナリズムの「空気」、そこで生まれる「体感自由」度が大きく順位を左右している。体感自由とは「体感治安」から私が造った言葉である。体感治安は現実に発生した犯罪認知件数や検挙数とは別に、人びとが日頃抱いている治安イメージである。日本は現在も最も安全な国の一つだが、「治安が悪化している」と感じている国民は少なくない。未成年者による殺人事件がセンセーショナルに報じられる一方、統計的に見れば少年の重大犯罪は減少している。その意味では、体感治安の悪化は犯罪ドラマや事件報道を含めメディア接触が生み出したものということができる。

メディアの影響が大きいという点では、内閣支持率ともよく似ている。小泉純一郎内閣以後、「内閣支持率が二〇%を割れば政局」という公式にしたがって内閣は交代してきた。その際、世論調査報道が果たした役割は極めて大きい。安倍内閣の支持率（二〇一六年八月現在、ＮＨＫ調査で五三％、朝日新聞調査四八％）は高止まりしているので、ここでは二〇一二年の野田佳彦内閣の内閣支持率報道を確認しておこう。

二〇一二年八月六日付『朝日新聞』（図４―３）の見出しは「内閣支持　最低22％　本社世論調査」「自民幹部「独自に不信任案も」」と「政権、危険水域」を強調した。そして、内閣支持が二〇％を割ると同一〇月二二日付（図４―４）で「内閣支持18％　最低更新」「本社世論調査　解散「年内に」49％」と見出しを打って、実質的に野田内閣へ引導を渡している。

こうした世論調査を電話で受けた経験があれば説明の必要もないだろうが、突然かかってくる電話で即答された「世論」はときどきの国民感情ではあっても、政治的意見とよべるものではない。それは明日のニュース次第では「支持」が「不支持」に変わるような政治的気分である。こうした数値を新聞やテレビがストレートに報道することは、むしろ内閣支持率が高いときに問題となる。メディアに対して安倍内閣が高圧的に臨んでいたのも、高い内閣支持率を背景にしているからに他ならない。この状況でジャーナリズムの「体感自由」度が低下するのは必然である。

こうした世論調査報道は、内閣支持率の数値だけで複雑な因果関係の考察を省略する「ファ

内閣支持 最低22%

本社世論調査

朝日新聞社が4、5日に実施した全国定例世論調査（電話）によると、野田内閣の支持率は前回7月調査の25%から22%に下がり、発足以来最低となった。不支持率は58%（前回58%）だった。

2030年の原発依存度について、野田政権が示した三つの選択肢のうちどれが望ましいかと聞くと、「0%」が43%となり、前回（42%）に続いて最多になった。「15%」は31%（同29%）、「20から25%」は11%（同15%）。原子力発電に対する政府の安全対策を信頼していない人は、「あまり」「まったく」を合わせて79%に上った。

政権、危険水域

小沢氏離党 影響見えず

自民幹部「独自に不信任案も」

野田内閣の支持率が発足以来最低を記録した。政権運営は「危険水域」に入っている。悲願の消費増税法案の成立を確実にするには、自民党が要求している衆院解散の確約が最後の切り札だが、野田内閣はその体力を失いつつあるようだ。

「心ある野党と連携しながら、（内閣不信任案が）出てきた暁には粛々と否決するのが我々の姿勢だ」

野田佳彦首相は5日夕、工場視察で訪れた広島県福山市で記者団にこう語り、自民、公明両党と協力して、野党7党が提出することで合意した不信任案を否決すると強調した。

お盆明けに消費増税関連法案を参院で採決することに自民党が反発していることにも、首相は「先方の事情もあるから柔軟性を持って対応する」と明言。消費増税法案について「自民党にも公明党にもご苦労をかけながらまとめた」と述べ、自民党内にある3党合意破棄の動きを牽制した。

ただ、早期の衆院解散を目指す自民党は、首相が年末の来年度予算編成に意欲を見せていることで態度を硬化。田野瀬良太郎幹事長代行は5日のNHKの番組で「苦渋の選択だが、独自の不信任案を出すことも視野に入れないといけない」と述べ、増税法案の採決前に、野党7党とは別に不信任案を出す可能性に、党幹部として初めて言及した。

首相の指示を踏まえ、民主党は6日の国会対策委員長会談で、自民党に対し「10日採決」を提案する見通しだ。自民党からは増税法案と特例公債法案の「セット採決」への反発も出ているが、これにも首相は柔軟に対応する構えだ。

首相にとって厳しいのは、自民党が増税法案の成立に協力する条件として衆院解散の確約を要求してきた場合だ。谷垣禎一総裁は消費増税は必要との立場だが早期の衆院解散も要求。党内に「解散の確約がなければ、不信任や問責を突きつける」（幹部）との強硬論も噴出している。

だが、首相が衆院解散を決断しても、民主党が勝利するのは極めて難しい状況だ。首相周辺は「党内対立の種だった小沢一郎氏を党から追い出せば、支持率は跳ね上がる」と踏んだが、内閣支持率は発足以来最低に落ち込んだ。3党合意や

図 4-3　朝日新聞　大阪本社版　2012 年 8 月 6 日

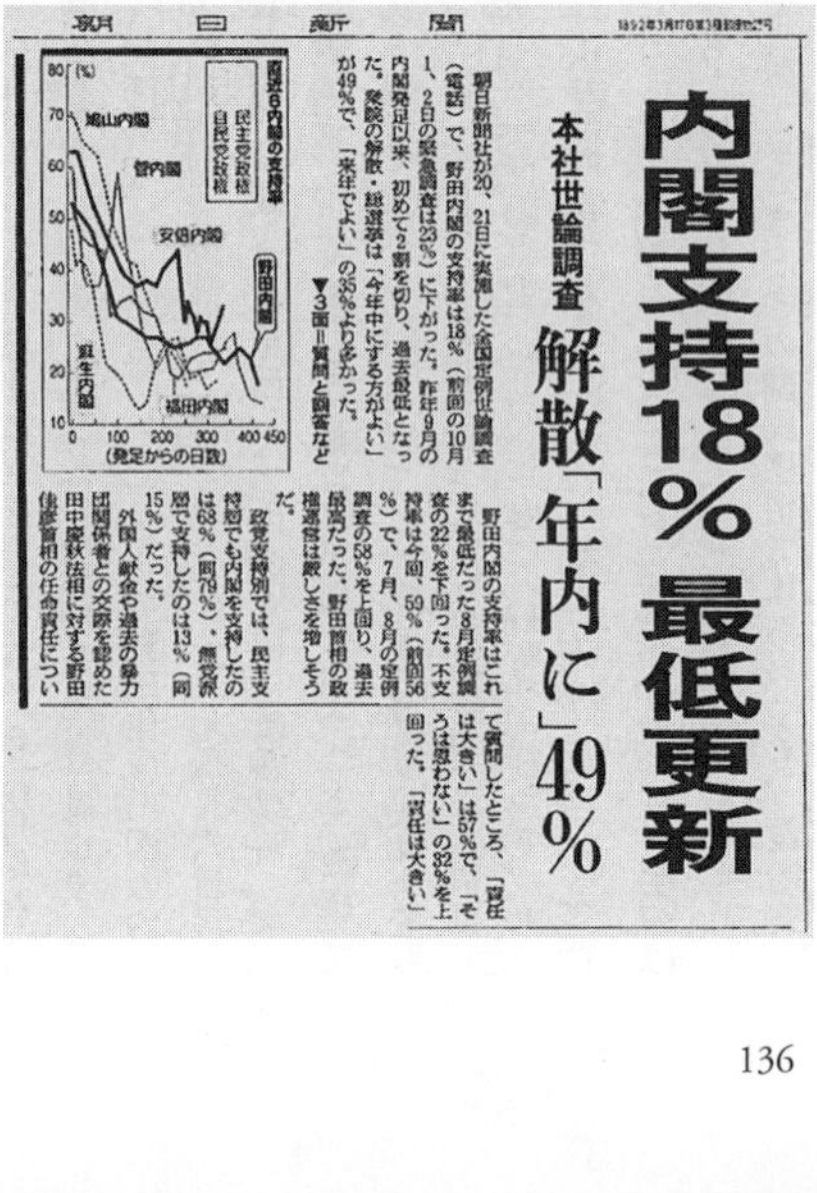

朝日新聞

内閣支持18% 最低更新

本社世論調査

解散「年内に」49%

朝日新聞社が20、21日に実施した全国定例世論調査（電話）で、野田内閣の支持率は18%（前回の10月1、2日の緊急調査は23%）に下がった。昨年9月の内閣発足以来、初めて2割を切り、過去最低となった。衆院の解散・総選挙は「今年中にする方がよい」が49%で、「来年でよい」の35%より多かった。

▼3面＝質問と回答など

野田内閣の支持率はこれまで最低だった8月定例調査の22%を下回った。不支持率は今回、59%（前回56%）で、7月、8月の定例調査の58%を上回り、過去最高だった。野田首相の政権運営は厳しさを増しそうだ。

政党支持別では、民主支持層でも内閣を支持したのは63%（同79%）。無党派層で支持したのは13%（同15%）だった。

外国人献金や過去の暴力団関係者との交際を認めた田中慶秋法相に対する野田佳彦首相の任命責任について質問したところ、「責任は大きい」は57%で、「そうは思わない」の32%を上回った。「責任は大きい」

図 4-4　朝日新聞
大阪本社版　2012
年 10 月 22 日

スト政治」をさらに加速している。思考を中抜きするランキングによる自動化システムは、内閣支持率で動く政局だけでなく、視聴率で決まるテレビ番組編成、偏差値ランキングで決める大学選びまで社会全体に蔓延している。こうしたシステムに「不自由」を感じるのも人間として自然である。

世論調査の数字が単独の点（ポイント）で意味をもたないように、「報道の自由度ランキング」も順位そのものではなく変動の線（ライン）として読むべきである。日本の順位は二〇〇三年（小泉純一郎内閣）の四四位、二〇一〇年（鳩山由紀夫内閣）の一一位、二〇一六年（安倍晋三内閣）の七二位と大きく変動したが、この時期に「ジャーナリストに対する暴力の威嚇・行使」の量的拡大やメディア法制に大きな変化があったわけではない。つまり、この変化の要因は専門家の体感自由、主にメディア報道に由来する印象に大きく左右されているわけである。二〇〇九年と二〇一〇年は報道の「自由度が高く」、その前後の二〇〇八年と二〇一二年も「比較的高い」と高評価されているが、この時期はすっぽり民主党政権期に重なる。鳩山内閣、菅内閣、野田内閣とも内閣支持率は急速に低下、低迷しており、新聞もテレビも「自由に」政権批判を全面展開できた。ジャーナリストの体感自由が高まったのは当然かもしれない。

もちろん、民主党政権で体感自由が高まった理由はそれだけではない。民主党は記者会見のオープン化を公約としていたので、一部官庁での会見には記者クラブ加盟社に所属しないフリージャーナリストの出席も可能になった。民主党政権下で記者クラブが解体され出入りが自由化されたわけではないが、評価者が自由化への期待を抱いたことも確かだろう。ただし、記者クラブ体制が公約通りに大きく変化したわけではない。それは記者クラブを軸に「政・官・業」と報道の癒着を告発する牧野洋『官報複合体——権力と一体化する新聞の大罪』(講談社・二〇一二年)が、民主党政権末期に刊行されていることでも明らかである。また、二〇一二年一二月の自民党の政権復帰によって記者会見のオープン化がすべて撤回されたわけでもない。

自主規制と自己検閲

一方、ランキングを作成する「国境なき記者団」は日本の「報道の自由度」下落の要因として、特定秘密保護法(二〇一三年)などの影響で日本の報道が自己検閲状況に陥っていることを挙げている。しかし、自己検閲をいうのであれば、それは近年に始まったわけでも、また安倍政権で急に強化されたわけでもない。そもそも特定秘密保護法にしてからが、その法案を準備したのは民主党の菅直人内閣である。二〇一〇年九月の尖閣諸島付近での中国漁船衝突事件のビデオ映像流出に対処する法整備が直接の動機だった。たとえ自己検閲状況が進んでいたとしても、それは特定秘密保護法制定よりも、先に述べた「内閣支持率政治」の影響の方が大きいと見るべきだろう。

結局、「報道の自由度」を左右した専門家アンケートの回答も論理的な判断というより、ときどきの政治感情、いわゆる「空気」に左右されたものと言えよう。誰が専門家として選ばれているのかは開示されていないが、「長い戦後」が続く日本の場合、報道の自由への極めて高い期待値を抱く専門家が多い。戦前の日本なら新聞紙法（一九四九年廃止）、出版法（一九四九年廃止）、映画法（一九四五年廃止）、無線電信法（一九五〇年廃止）などメディア統制法が存在したが、今日では報道メディアを直接規制する法律は存在しない。もちろん放送法はあるものの、それは「公正中立」の理念を謳ったもので規制を目的とした法律ではない。その限りでは先に引用した「天声人語」のいう通り、放送法を根拠に電波停止をちらつかせることは総務相の非常識である。

このように「報道の自由」が法的に規制されていない日本においては、専門家の自由への期待値は最大化されている。その高い期待水準で現状を評価すれば、その満足度が低く出ても仕方がない。期待値と満足度が逆相関になることは容易に想像がつくはずだ。

二〇一六年度の「報道の自由度ランキング」でも第一位のフィンランド、第三位ノルウェー、第八位スウェーデンと北欧諸国が上位を独占している。東京のフィンランド大使館が開設するホームページには次の文章が掲げられている。

フィンランドはジャーナリストや報道機関を尊重し、司法の濫用から守ることによって、世界に手本を示しています。アメリカに本部を置く独立した監視団体フリーダムハウスは二〇一〇年、他の北欧諸国と共にフィンランドの報道機関を「報道の自由度NO・1」であると評価しました。北欧諸国は同年、国境なき記者団が発表した「報道の自由度ランキング」でもトップを占めました。

さらに、「表現の自由と情報へのアクセスは憲法によって保障されており、メディアの検閲はありません」とある一方、別に「自主規制するメディア」の項目があり、放送事業権は運輸通信省が所管していること、ジャーナリズムはマスメディア評議会（CMM・一九六八年設立）により自主規制されていることが書かれている。

周知のように、北欧は人口統計と国民総番号制の発祥の地であり、情報統制先進国といってよい。人口統計は一七世紀後半にスウェーデンで教区ごとに個人の活動履歴を記録化するシステムとして始まり、それが行政に利用され「統計学」発展の基礎となった。そうした個人情報の集積をふまえてスウェーデンで一九四七年に全国民に背番号コード（PIN）が付与されている。こうした情報統制の徹底が北欧諸国で高度な福祉国家を実現したといっても過言ではない。その上での「自主規制」なのだが、それは条件次第で「自己検閲」として機能する可能性も否定できない。北欧諸国を「メディアだけではなく社会も政治も、確かに成熟している」と高く評価する映画監督・森達也は「報道の現場に希望への意思は生まれたか」(『現代思想』二〇一六年七月号)で、いわゆる「放送禁止歌」を例に日本における「自主規制」の作動メカニズムを論じている。「放送禁止歌」の正式な名称は民間放送連盟(民放連)の「放送音楽などの取り扱い内規」にある「要注意歌謡曲」である。

ところが自主規制であることを知っているメディア関係者はほとんどいない。放送と音楽業界に帰属するほぼすべての人が、指定されて曲が放送されることを強圧的に規制・制限するシステムが存在していると思い込んでいた。規制する主体は自分たちであるのに、放送に適しているかどうかを決める権限を持った組織や個人がどこかに存在すると信じていた。〔略〕そもそも日本のメディアは、世界でも屈指なほどに自由な環境を設定されている。規制はほぼない。政府からの(目に見える)圧力もない。アメリカのように絶対的な放送禁止用語もないし、宗教や民族問題における制約や規範も薄い。とても自由なのだ。

森は日本のメディア関係者の振る舞いを「自由からの逃走」(エーリッヒ・フロム)に見立てて

いる。言うまでもなく、それは世界で最も民主的な憲法と謳われたワイマール共和国でなぜナチズムが勝利したかを説明しようとした概念である。とはいえ、ワイマール共和国にも厳しい検閲はあったし、そもそもナチ党員や共産党員のラジオ出演は政府により禁止されていたことは念のために付け加えておくべきだろう。最も民主的な憲法の下で、「報道の自由度」が最も高くなるとも言えないのである。

ちなみに、このワイマール共和国末期の一九三〇年代前半は、日本でも軍部が台頭し「報道の自由」が圧迫された時代と一般に考えられている。だが、この一九三〇年代前半に新聞記者が軍部からうけたのは脅迫というより饗応だった。陸軍省が機密費で記者を接待したという陸軍省新聞班長・鈴木貞一の証言も挙げて、辻田真佐憲『大本営発表――改竄・隠蔽・捏造の太平洋戦争』（幻冬舎新書・二〇一六年）は「世論対策に熱心な陸軍」を強調している。だが、辻田のいうように陸軍に比べて海軍が「世論対策に冷淡」だったとも断定できない。ロンドン海軍軍縮会議（一九三〇年）の開催直前に海軍省が展開した新聞記者への接待攻勢は、新聞内報記事で赤裸々に書かれている。『新聞之日本』一九三〇年一月七日号は第一面トップで「各紙編集幹部を交々招待　海軍省大童《おおわらわ》の諒解運動」をこう報じている。

　独り同省出入黒潮会のみの応援では心もとなしと見た軍縮会議留守軍総帥加藤軍令部長

は旧臘各有力紙の幹部記者を社別に芝紅葉館其他に招待し、種々諒解を求むべく懇談する所であつた。席上海軍側は特に『米国から来る電報は警戒して貰ひ度い、巧妙な宣伝が伝へられ輿論の統制の上に思はぬ障害となるから』と云ふ意味の可成りデリケートな問題に就いて熱心に説明し其の取扱方について希望(?)を述べた様子である。〔傍点は引用者〕

海軍省記者クラブ「黒潮会」や在京有力紙編輯幹部会「二十一日会」といった公式ルート、さらには「社別に」も海軍側は幹部記者を接待し「輿論の統制」への協力を要請している。この立場が逆転する太平洋戦争中はともかく、戦前とは新聞記者が軍部から接待を受けていた時代なのである。もちろん、それは「報道の自由」があったことを意味しないが、新聞記者がペンの協力を剣で強要されたともいえないはずである。

終戦時に朝日新聞を辞めた「伝説の記者」むのたけじの言葉、「残る九割は自己規制で筆を曲げた」は本節冒頭で引いた。戦後の「伝説の社会部記者」として、本田靖春の『体験的新聞紙学』(潮出版社・一九七六年)を見ておきたい。近年さかんな田中角栄再評価の中で再読してその新鮮さに驚いた。本田は一九七一年に読売新聞社を辞めた理由を、「社内ですら自由な言論は瀕死の状態であった」と述べている。『体験的新聞紙学』はロッキード事件に「言論の自由の存否がかかっている」と考えた本田が、田中角栄前首相逮捕をうけて書き下した原稿用紙五

○○枚の大論文である。しかし、「次の二行」を言うためだけに同書を物したという。

記者における「言論の自由」は、いい立てるものではない。日常の中で、つねに、反覆して、自分の生身に問わなければならないものだ、と。

こうした「言論の自由」にとって、公正中立を唱える客観報道主義がいかに危険かを本田はくり返し論じ、不偏不党を掲げる新聞なら政権がどう変わろうと政権の意に添った自己規制に走ることを「〝絶対〟の二文字を冠して、いえること」と書いている。

> 「客観報道主義」のおもむくところは「保守」ではない。「保守」であれ「革新」であれ、その場その場の〝現状維持〟なのである。〔傍点は引用者〕

自主規制するメディアが「その場その場の〝現状維持〟」で利用する尺度こそ、輿論(public opinion)にあらざる世論(popular sentiments)にほかならない。他者との議論から生まれる主体的な輿論に対して、反映すればよい世論は世論調査で生みだされる「客観」的な数値なのである。

第五章　快適メディア

平成の後半、なお「論壇」というものが存在していたとすればだが、その周辺に私はいたのかもしれない。二〇一四年四月から翌年三月まで『毎日新聞』で「メディアと政治」、二〇一七年には共同通信社配信「論考２０１７」、翌二〇一八年前半は『日本経済新聞』の「明日への話題」と連載を続けていた。その間も『北海道新聞』の「各自核論」、『信濃毎日新聞』の「多思彩々」と連載を抱えていた。ほぼ毎週、〆切日があった。

二〇一八年六月二〇日付『日本経済新聞』夕刊に「〆切のある人生」と題したエッセイを書いている。

共同研究をスタートさせる際、いつも私はこう宣言している。「〆切は厳守する。間に合わない人を待つことは一切しない」。

厳しいと思う人もいるだろうか。だが、それは私が自分の弱さをよく理解しているためである。少なくとも私の原稿は、いつまでも待ちますと言われていたら書き上がることはなかったはずだ。〆切の効用について、私は卒論を書く学生に毎年こう語っている。

「あと数カ月で〆切があることの幸せを君たちは噛み締めることになる。もし〆切がなかったら、こんなに一生懸命に調べなかったし、これほど執筆に熱中できなかった、と。卒論の最大の収穫は〆切がある幸せを体験することです。これからも〆切のある人生を生きてください。自ら〆切を選び取り、それを守りきる人生を生きて欲しい。人生にも〆切はあるわけですからね」。

〆切がなければ、「いつかやる」という機会もまず到来しない。「いつか読もう」という本の大半を私が読めていない理由は、〆切がないからである。そうした〆切の効用を考えると、生涯学習社会は生きにくい時代なのかもしれない。いつでも好きなときに学べばよいと言われて、本当に学ぶ人間が増えるとは思えない。

「あとで学べばよい」と感じる若者は学校という〆切システムから解き放たれる。だが、そうした「ゆとり」が社会階層の固定化をもたらしているのではないか。

その後の「令和」改元（二〇一九年）、コロナウイルス・パンデミック（二〇二〇年）と続く現代の社会変動と世論状況について執筆した時評をここに並べている。

第１節の「歴史化する平成――玉音から玉顔へ」（共同通信社配信「論考二〇一七」『京都新聞』二〇一七年一二月二一日など）は、「玉顔ビデオ」をメディア史的に位置づけた論考である。平成の「〆切」を自ら設定しようとした天皇（現・上皇）の決意に私も共感していた。

第２節の「「変化減速」時代の「快適メディア」――新型コロナ危機とメディア環境」（『民放』二〇二〇年五月号）は、タイムシフト対応のメディア教育の困難を論じている。

第３節の「例外状況に見つめ直す「感情報道」の原則」（『Voice』二〇二一年三月号）は、コロナ禍報道を具体例として「客観報道」のタテマエを批判的に考察している。

1　玉音から玉顔へ（二〇一七年一二月）

今回で一年間一二回の連載「論考2017」も終わりを迎える。第一回では「ポスト真実」時代に求められる歴史的思考を論じて、アライダ・アスマン『記憶のなかの歴史――個人的経験から公的演出へ』（松籟社・二〇一一年）に言及した。アスマンによれば、歴史には三つの次元がある。アイデンティティー確認の国民的歴史、楽しく読める商品的歴史、想起すべき倫理的歴史である。

いま、まさに「平成」が歴史となろうとしているとき、その三つの次元から振り返ってみたい。

政府は一二月一日に催された皇室会議の意見を踏まえ、天皇陛下の退位日を二〇一九年四月三〇日と決定した。皇太子殿下の即位は翌五月一日であり、その日から新たな元号がスタートすることになる。

平成という時代は、残された一年半足らずの間に朝鮮半島で有事でも起こらない限り、「平和な時代」として記憶されよう。もちろん、阪神淡路大震災から東日本大震災までの自然災害、あるいはオウム真理教からフクシマ原発までの事件・事故で、多くの犠牲者が生まれた。それでも、戦時期や占領期を含む「激動の昭和」とは対照的な「平穏と成熟の平成」とみなされるのではなかろうか。

そうしたイメージを生み出す上で、三つの歴史を完璧に近いバランス感覚で体現した平成の皇室の役割は大きい。国民的歴史の体現としては、日本国憲法第一条にいう「日本国の象徴であり日本国民統合の象徴」を新たな伝統として定着させたことがある。商品的歴史としても、皇后陛下がミッチーと呼ばれていた昭和時代から続く「週刊誌天皇制」「ワイドショー天皇制」が茶の間に話題を提供し続けた。しかし、最も重要なのは平成の天皇皇后が倫理的歴史の体現者として語り継がれる可能性にある。

これまで両陛下は先の大戦の激戦地と災害の避難所を繰り返し訪問し、戦争と災害を繰り返し想起させる「祈りの文化」を自ら創りあげてきた。それは短期的・直接的な効果ではなく、持続的・遅延的な効果に向き合う行為である。両陛下の時間を超越した祈りを「有り難い」と感じるのは、私たちが「いま・ここ」での快楽と効率を極大化するインターネットの情報環境に生きているためである。「有り難い」は文字通り、存在することが難しいという意味でもある。

また、昭和天皇では考えられなかったことだが、被災地でひざをつき、同じ目の高さで被災者に語りかける両陛下の姿は今日では普通のことになっている。

陛下は皇太子時代の一九八六年、三原山噴火の避難者を慰問した際に初めて「ひざつき」を行い、即位後の一九九一年に起きた雲仙普賢岳噴火の慰問からは通例となっている。

他方、ひざまずく両陛下を写す報道カメラは、同じ高さまで身を屈めていたわけではない。平成のジャーナリズムが「上から目線」と国民から批判される存在になったのと比べ、コントラストはあまりに大きい。

後世、平成のメディア史には「平成の終わりは「玉顔放送」から始まった」と書かれるだろう。退位の意向をにじませた昨(二〇一六)年八月のビデオメッセージは「象徴としてのお務めについての天皇陛下のおことば」として、現在も宮内庁ホームページから動画で見られる。

事前に収録したメッセージの放送という点では、一九四五年八月一五日の昭和天皇による終戦の玉音放送と同じである。しかし、音声だけの「玉音」と比べて、映像付きの「玉顔」は象徴とは何者であるかを強く印象づけた。

そもそも玉音放送の時の昭和天皇は国家元首・大元帥であり、自らが象徴であるという認識はなかったはずだ。それに対して今回の玉顔放送では天皇が「自己メディア化」を自覚した上で象徴として振る舞ってみせた。その威力は、あるいは終戦時の国民体験を超えていたかもしれない。それは各世論調査での退位への圧倒的な支持から推認できる。ほぼすべての国民が「内容」ではなく「心情」を理解し、「事実」ではなく「印象」に共感しているようだ。

ただし、ビデオメッセージでは現示型シンボル(身体表現)への没入が強すぎるため、論弁型シンボル(言語)への変換は難しい。そのため、これを契機とした「象徴とは何か」を巡る国民的議論は生まれていない。象徴天皇制を支持する世論 popular sentiments は完璧なレベルにまで高まったが、「象徴とは何か」をめぐる輿論 public opinion はほとんど語られることがなく今日に至っている。せめて改元まで残された時間だけでも有効に使いたいものだ。

2 「変化減速」時代の快適メディア(二〇二〇年五月)

新型コロナ危機とメディア環境

新型コロナウイルスの感染拡大は、WHOがパンデミック(世界的大流行)を表明する中、私たちの生活を大きく揺るがしている。二〇二〇年三月二日から安倍晋三首相の要請により全国の小学校・中学校・高校などは臨時休校に入っており、児童生徒は異様に長い「春休み」を体験した。そのため、家庭における昼間のインターネットアクセスは急増し、多くの教育関連事業者が自習教材や遠隔授業の無料サービスの提供を開始している。これを機に、かけ声ばかりで普及は遅々としていたエドテック(EdTech=Education×Technology)が急速に広まる可能性も否定できない。

一方、テレビではこの異常事態にもかかわらず「終わりなき日常」を流し続けている。この長い「春休み」を好機ととらえ、次世代のテレビ視聴者を取り込もうとするような意欲的な番組編成はほとんど見られない。このままでは家庭におけるテレビ画面の視聴内容も、民放をふくむ公共テレビ放送より、アマゾンプライムやネットフリックスなどオンライン配信事業者の比重が高まることさえ懸念される。むろん、懸念の背景には情報格差の拡大がある。映像オンラインサービスの多くが有料であるためだ。

こうした意味で、今回の新型コロナ危機が日本人のメディア環境に与える衝撃は軽視すべきではないだろう。とはいえ、長い射程で変化を考えるメディア史家として、「テレビの時代は終わった」という類《たぐい》の俗論を唱和する気にはなれない。

メディア論者の中には、「インターネットは人間の精神に活版印刷以来の革命的変化をもたらしている」などと主張する者も少なくない。確かに、農業革命、工業革命に続く「第三の波」（アルヴィン・トフラー）が情報革命であるなら、そして情報革命がインターネット革命であるなら、人々の意識が大きく変わらぬはずはないだろう。だが、情報革命とはインターネット革命ではなく、テレビ革命だったのではないか。

情報革命としてのテレビ革命

たとえば、テレビ放送の普及期、一九六〇年代前半に山形県の小学生だった評論家・加藤典洋の証言がある。漫画本から文学全集まで読み漁る加藤少年は、熱烈な「テレビっ子」になった。加藤はテレビと出会った感激を遺著『大きな字で書くこと』（岩波書店・二〇一九年）でこう表現している。

> 自宅の居間で「鉄腕アトム」（一九六三年からフジテレビ系で放送開始）を見ながら、なぜこれが無料で見られるのか、どう考えても理解できなかった。電波がどこから来るのかと思い、テレビの周りに手をかざしたのをおぼえている。

こうした驚きを幼年期にインターネットに出合った子どもが味わっただろうか。私は子どもたちがケーブルやモデムに「手をかざす」姿を想像できない。映像が場所感覚をなくす経験はテレビで体験済みだからである。ここにメディア史上におけるテレビ革命の特異性を見るべきだろう。

それゆえ、私はネット革命の過大な評価には懐疑的である。その根拠の一つが、二〇二〇年二月に刊行されたNHK放送文化研究所編『現代日本人の意識構造［第九版］』（NHKブックス）である。それは一九七三年から五年ごとに行われてきた全国調査であり、直近の二〇一八年調査の結果がまとめられている。「男女と家庭のあり方」、「政治」、「国際化・ナショナリズム・宗教」「仕事と余暇」、「日常生活」「生き方・生活目標」の各領域で心の変化が分析されている。

この四五年間で、日本人の意識の大きな変化は二回、すなわち一九七三年から一九七八年の間と、一九九三年から一九九八年の間で生じている。どちらもネットの本格的普及以前、つまりテレビ時代の変化である。他方、SNS時代に入ってからは大きな国民意識の変化はほとんど確認できない。

減速する意識変化

たとえば、変化が最も大きい意識は「婚前交渉について」であり、「不可」の回答は一九七三年五八％から二〇一八年一七％へ四一ポイントも減少している。しかし、この変化の潮目も、「愛情があれば可」三五％が首位に代わる一九九三年調査である。だとすれば、この変化もテレビ時代の産物であり、ネットで自由に性的情報にアクセスできるようになる最近の変化は微弱だと見ることもできよう。

一方で、変化が最も小さい意識として、「欠かせないコミュニケーション行動」の質問における「家族と話をする」が挙がっている。この二〇年間で三％だけ減少した。これなら誤差の範囲と言えなくもない。「テレビを見る」も八六％から七九％への微減にとどまっている。この間に日本人のコミュニケーション意識は大きな影響を受けていないのである。

この意識調査では「世代ごとの特徴」も分析されている。興味深いのは、一九五四年生まれ以降の世代、つまり「テレビっ子」世代からは世代間の意識差が小さくなっており、そのため今後の意識変化は全体として縮小することが予測できる。

こうした意識変化の減速は、社会学者・見田宗介が『現代社会はどこに向かうか』(岩波新書・二〇一八年)ですでに指摘していたことである。見田によれば、「歴史は加速する」という感覚を持つのは「団塊の世代」(一九四七〜四九年生まれ)までであり、それ以降の世代は「歴史は減速ないし停止する」と認識している。歴史の停止とは、未来の目的の喪失を意味する。とはいえ、それは必ずしも「不幸な社会」ではなく、「幸福の高原」状態に導くと見田はいう。

重要なことは、「変化意識の減速」や「幸福の高原」がネット革命で説明できないことである。それにもかかわらず、メディア論者は「ネットが意識を変える」と語りたがる。もちろん、正しくは「意識がネットを変える」のである。グーテンベルクの活版印刷術が近代人の意識を生んだのではない。むしろ、近代化した意識から活字印刷物の需要は生まれた。私たちは減速する意識変化を前提に、ネットの活用法を探らねばならない。

快適な政治は良い政治か

教育分野における情報技術の活用法については、井上義和「教育のビジネス化とグローバル化」(『岩波講座　現代8　学習する社会の明日』二〇一六年所収)が見取り図を示している。日本で「電子書籍元年」が叫ばれた二〇一〇年前後から、スマート端末の普及を追いかけるように、教育機会の地理的・経済的格差を解消する日本発のエドテックビジネスが台頭してきた。

一方、これまで「理想の教育」を掲げてきた教育学研究者は、グローバル資本主義に棹《さお》さす教育ビジネスを敵視することが多かった。だが、ビジネスの本質とは製品やサービスによる「不」――不平、不満、不幸、不便、不良、不遇、不快、不足、不自由など――の解消、すなわち快適化である。井上はエドテックが教育のバリアフリー／ストレスフリーを実現する可能性を具体的に展望している。

しかし、そうしたエドテックの課題も二〇世紀に放送教育の実践者がラジオとテレビで構想した可能性とほとんど変わらない。だとすれば、これまでのメディア教育と同様に、エドテックも幻滅に終わる公算は高い。そもそも快適な政治が良い政治とは限らないように、快適な教育が本当に良い教育なのかどうか。同じ問いが、快適メディアの象徴だったテレビにいま突きつけられている。快適メディアは良いメディアなのか、と。

3　例外状況の感情報道(二〇二一年三月)

二〇二一年一月七日、二度目の「新型インフルエンザ等対策特別措置法に基づく緊急事態宣言」が一都三県に向けて発出された。一週間後、一三日には私の住む京都府を含む一一都道府県に対象地域は拡大された。

だが、昨年(二〇二〇年)五月の緊急事態宣言の時とは異なり、国民の緊張感はとぼしい。そもそも今回の自粛要請が夜間外出の飲食を中心とするものに限定されており、もう一年近く新型ウイルス報道に向き合ってきた人びとには「コロナ馴れ」も「自粛疲れ」も見受けられる。毎日、都道府県別の新型コロナウイルスによる新規感染者、同死者の「数字」がニュースとして公表されているが、数字に感情移入することはむずかしいだろう。政府や報道機関は人間という生物の刺激に対する馴化《じゅんか》(habituation)の心理メカニズムを甘く考えているのだろうか。たとえ「オオカミ少年」の虚言でなくても、同じようなアラートは何度も繰り返されることで、受け手への効果は逓減《ていげん》する。

かくいう私も、それではまずいと思いながらも、正常性バイアス(normalcy bias)の影響下にある。正常性バイアスとは、無意識のうちにも「自分は大丈夫」と考えて、不都合な情報を無視あるいは過小評価しがちな人間の認知特性である。もちろん、パンデミックは自然災害の場合と同じように、正常性バイアスへの警戒を訴えるだけで片づけられるものではない。それが政治的にも例外状況を生み出す可能性は意識しておくべきだろう。

すでに忘れている人が多いかもしれない。緊急事態は昨(二〇二〇)年まで憲法改正問題との関連で議論されていた。たとえば、第一回目の緊急事態宣言(二〇二〇年四月七日発出)の期間中、安倍晋三首相(当時)は憲法記念日の五月三日に行われた「憲法フォーラム」にビデオメッセージを寄せ、緊急事態条項を含む自民党改憲案への支持を訴えていた。しかし、その約三カ月後、安倍首相は持病のため退陣を表明することになった。

結局、国民の権利・自由を一部制限する緊急事態措置は日本国憲法を改正しなくても、「新型インフルエンザ等対策特別措置法」(二〇一二年制定)の改正によって実現されている。緊急事態条項を口実とする憲法改正は当面なくなったとしても、緊急事態という例外状況が憲法をふくめ社会の原理原則を争点化することは確実である。

つまり、例外状況は日常生活では見過ごされている物事の本質を浮かび上がらせる。たとえば、大学キャンパスが封鎖されてはじめて大学に通う本当の意義に気づいた学生は少なくないだろう。多くの学生にとって、大学生活の意義は授業出席だけではない。授業は大切な何かに出会うきっかけの一つにすぎない。例外状況こそが大学の建前をはがし、「大学とは何であるか」をはっきりと示してくれるのである。

同じことは、例外状況のメディア報道についても言えるだろう。これまであまり意識されてこなかったメディア報道の本質、つまり「メディア報道とは何であるのか」が見えてくる。コミュニケーション研究で情動論的転回(affective turn)が語られている今日のメディア社会は、情報社会(information society)というより情動社会(affect society)と呼ぶべきものである。

客観的データよりも感情的ツイートが重視される状況、それを「ポスト真実」と名付けたければそう言ってもよいだろう。実際、この「ポスト真実」という言葉が広まったトランプ大統領当選以後のアメリカ、あるいはポピュリズム政党の台頭するEU諸国の現実政治を駆動させているのは、客観的な情報でも合理的な論理でもない。格差への「怒り」、転落への「恐れ」、移民への「憎しみ」など、むき出しの感情が政治全体を支配している。その支持者にとって、「理解」、「寛容」、「対話」は余裕を持つエリートのきれいごとに過ぎない。

実際、格差社会、分断社会において共同体の絆を強化するのに有効なのは、希望や愛情などの肯定的感情よりも恐怖や憎悪などの否定的感情を共有することだろう。歴史的に見れば、そうした否定的な統合によって現実政治は動かされてきた。だが、それで建設的な政治的成果が生まれた例は、あまり見当たらない。

だからこそ、メディア論でも理性的報道が規範として重視され、煽情的報道は退けられてきた。つまり、メディア論は理性や合理性を尊重し、感情や情動を否定的に扱ってきたと言えるだろう。良き市民とは感情を遠ざけるものであるという前提に立つがゆえに、センセーショナリズム（煽情主義）はメディア批判の常套句とされてきたのである。しかし、感情に働きかけないで政治的に効果を挙げたメディアがはたして実在したであろうか。こうした問題を考える上で、カリン・ウォール＝ヨルゲンセン『メディアと感情の政治学』（勁草書房・二〇二〇年）は有益である。

そもそも、感情の自己管理能力を高めるプロセスこそが文明化と目《もく》されており（ノルベルト・

エリアス『文明化の過程』）、市民社会の規範理論は大衆心理を遠ざけるべきものと見なしてきた。ユルゲン・ハーバーマス『公共性の構造転換』はその典型であり、感情に左右されないブルジョアの理性的討議が理想的なコミュニケーション・モデルとして提示されている。多くのメディア論はこうした「市民的公共性」、つまり理性的な輿論（public opinion）を生み出す社会関係を理想型として論じてきた。それに対して感情的な世論（popular sentiments）を生み出す大衆的公共性の主流化、すなわち「輿論の世論化」を論じたのが拙著『ファシスト的公共性』（岩波書店・二〇一八年）である。その私でさえ感情より理性に訴えるメディアが望ましいと考える二項対立図式を前提に議論していたことは否定できない。

感情報道のソーシャル・ディスタンス

新型コロナ・パンデミックの例外状況ではっきりしたのは、メディア報道とはそもそも客観報道ではなく感情報道だったという事実である。前出のウォール＝ヨルゲンセンは、模範的なジャーナリズムと評されている「ピュリッツァー賞受賞記事」を分析して、その大半が「客観的ニュース」というより「感情的な語り」であることを明らかにしている。ただし、そこでは記者自身の感情を表に出すことなく、取材対象である個人や集団の感情を浮かび上がらせるテクニックが駆使されているという。

ジャーナリストによるニュースの語りでは感情労働が外部化されている。それはつまり、記事で用いられる感情表現をめぐる責任の外部化、あるいはオーディエンスの感情の誘発という形での外部化である。

こうした「感情表現をめぐる責任の外部化」により感情報道を客観報道にすり替えるテクニックは何も目新しいものではない。ゲイ・タックマンは『ニュース社会学』(三嶺書房・一九九一年)でジャーナリストが使う基本的な手法を二つ挙げている。

【事実の置き換え】立証不能な事実Aを報道するために情報源Bと事実Aを絡ませて、「BがAと言った」という新しい事実Cを作り上げる。事実Aが間違っていたとしても、「BがAと言った」という事実Cは完全に正しい。もちろん、読者が知りたいのは事実Aであって事実Cではない。

【カギカッコの利用】対立する複数の意見を引用することで、記事と記者自身の間に距離を置きつつ、自分と同じ意見を他人に言わせることができる。

もちろん、こうした手法によって自らの意見だけでなく、自らの感情も他人に表出させることが可能になる。同様な手法は新聞だけでなく、テレビニュースでも使われている。タックマンは「事実を語る人物を映すカメラの構図」から、ソーシャル・ディスタンス（社会的距離）の重要性にも言及している。ソーシャル・ディスタンスはコロナ禍対策として人口に膾炙《かいしゃ》した言葉だが、もともとはエドワード・T・ホール『かくれた次元』（みすず書房・一九七〇年）で使用された概念で、タックマンはテレビニュースのフレーム解釈にそれを応用している。

すなわち、密接な距離（四五センチ以内）、個人的距離（四五〜一二〇センチ）、社会的距離（一二〇〜三六〇センチ）、公共的距離（三六〇センチ以上）はそれぞれ異なる人間関係を表現する。個人的距離と社会的距離はさらに遠近で二分割できるため、カメラが切り取る人物の構図は距離に応じた六パターンに分類できる。「密接な距離」は恋人や親友が触れ合う関係である。「近い個人的距離」には妻がいても問題ないが、他の女性がその距離に入るのは問題である。「遠い個人的距離」は個人的な話題ができる関係であり、「近い社会的距離」は感情を交えない会話のできる関係である。だとすれば、この社会的距離は「ビジネス空間」と言ってもよいだろう。つまり、コロナ禍対策の呼びかけ「ソーシャル・ディスタンスを守りましょう」は、「ビジネスライクにふるまいましょう」と翻訳できるわけである。

タックマンによれば、この六パターンのうちニュース映像としてよく使われるのは、「遠い個人的距離／近い社会的距離／遠い社会的距離」の三つである。つまり、「話している顔／上半身／寄った全身」であり、その構図によってニュースの中立性あるいは客観性が操作されている。個人的距離で顔をアップにした構図では感情が強調されるし、記者がレポートする際には感情の表出を避けるべく全身を映す遠い社会的距離が保たれている。

ニュース制作者として、テレビ記者はあくまでも非参加者として登場し、中立的にコメントを解説するのが与えられた役割なのだ。カメラは、番組制作者たちが、自分たちが報道するニュースに感情を移入したり意見をもっていることをほのめかしてはいけない。つまり「近寄りすぎ」てはいけないのである。

だとすれば、ソーシャル・ディスタンスとは「客観性を演出するジャーナリストの距離」と呼び変えてもよい。いずれにせよ、距離と構図で印象を操作しているテレビ・ニュースを客観報道と呼ぶことはむずかしい。

「信頼できるメディア」の使命

こうして自らは「感情表現をめぐる責任」を回避しつつ客観報道を名乗るメディア報道が、コロナ禍対応で直面する困難とはどんな問題となるであろうか。具体的に考えてみよう。まず直面が予想されるのは、「営業自粛の要請に応じない店名の公表」問題だろう。政府は店名を公表できるよう政令の改正を目指している、と報じられている。メディア研究者としては、政令改正による私権制限の是非よりも、今後「要請に応じない店名」が公表された場合に新聞・テレビがどのような報道をするのか、それが気がかりだ。

店名の当局による公表はウェブ上でも行われるはずであり、たとえ新聞やテレビが報じなくても、ＳＮＳなどを通じて瞬時に拡散されるだろう。当然、ウェブ上には怒り・恐れ・憎しみを含んだデマや誤情報があふれるはずだ。そうした流言を抑制するために、あるいは、当局の公表が本当に正しいかを確認するためにも、「信頼できるメディア」として正確な店名を客観的に伝えるべきだという読者・視聴者の声は高まるだろう。こうした状況で新聞やテレビが飲食店の「実名」を伏せることはむずかしいのではあるまいか。

というのも、実名の報道によって当局発表を検証し、誤情報の拡散を防ぐこと、それこそが犯罪や災害の「客観報道」で実名原則が貫かれてきた理由だからである。しかし、ポスト・コロナの情報環境はこうした実名原則にも変更を加えているようだ。現在も新型コロナウイルス感染の死亡者については、芸能人や政治家でもなければ、新聞やテレビでは年齢や性別も報じられない。あたかも「数字化」こそが感情的ではない客観的な報道だ、と開き直っているかのようにも見える。むろん、感染者差別などの報道被害を恐れる親族に配慮しているわけだが、少なくとも数字化＝匿名化する理由は、メディアがはっきりと表明すべきである。その上で、感染者は「被害者」であって差別される理由などないことを繰り返し主張するのが、公共メディアの使命ではないだろうか。

私は新聞紙に「日々の歴史記録」を期待する歴史家として、個人が特定できないまでも、せめて死亡者の年齢や性別、既往症の有無《うむ》などは正確に載せるべきだと考えている。そうした具体的なデータを欠いて、国民一人ひとりが政府の対応の是非を判断することはできないからである。

ちなみに、二〇二一年一月二三日に新聞通信調査会が公表した「メディアに関する全国世論調査」によれば、外出を控えたり、自粛するなど、行動に影響を与えたものでは、「新聞やテレビなどメディアの報道」六八・〇％がトップである。それは「国の発表や要請」五九・一％や「自治体の発表や要請」四〇・三％を大きく上回り、「LINE、Twitter、FacebookなどＳＮＳ」一三・〇％とは比較を絶する大きな影響力が確認できる。同時に各メディアの情報に対する信頼度（一〇〇点満点）も調査されているが、「新聞」六九・二点と「ＮＨＫテレビ」六九・〇点が突出している状況は、二〇〇八年に同調査が開始されて以降ほとんど変わっていない。

この調査が示すように、情動社会の今日でも新聞やテレビが多くの人びとにとって「信頼できるメディア」であることは間違いない。こうした評価を維持するためには、まずは感情報道であることを正直に認めた上で、取材対象や読者・視聴者に責任を転嫁せず、肯定的な輿論に導く姿勢を示すことが必要なのだろう。緊急事態という例外状況だからこそ、感情報道としての原則を見つめ直す必要があるのではなかろうか。

第六章　ネガティブ・リテラシー

「輿論の世論化」を縦糸としてファスト政治、メディア流言、デモする社会、情動社会、快適メディアを論じた文章を織り込んできた。その結果、ここに立ち現れるのがネガティブ・リテラシー(消極的な読み書き能力)の効用である。

それはまずインフォデミックへの処方となる。新型コロナのパンデミックが終息したいまも、ウクライナやパレスチナでの戦争報道でもインフォデミックは猖獗《しょうけつ》を極めている。それはインフォメーション(情報)とパンデミック(世界的大流行)を組み合わせた造語であり、インターネット上で拡散される誤情報 misinformation や偽情報 disinformation によって引き起こされる社会の混乱を意味している。しかし、私は「偽」情報や「誤」情報という言葉をあえて使うべきではないと考えている。そうした語用法はあたかも「情報」をすべて正しいものとして扱うことにつながるからである。

私たちの社会にはあいまい情報が溢れており、「誤」や「偽」のレッテルをすべてに貼れるわけではない。いや、それが不可能なだけでなく、たとえＡＩによって可能となるとしてもそれを実行すべきではないだろう。人間性はあいまいさの中にあり、人間は誤りから学ぶべき生き物だからである。

ネガティブ・リテラシー、つまり見過ごし、やり過ごす能力の提唱は読書論では決して目新しいものではない。「アメリカ心理学の父」ウィリアム・ジェームズは『心理学原理』第二巻（一八九〇年）の二二章「論理的思考」で次のように述べている。

読書術とは（ある程度の教育段階になると）読み飛ばし術であるように、賢明になる術は見過ごすべきものを見極める術である。

『オックスフォード基本名言集』第五版などでは、この後半部分、すなわち「賢明になる術は見過ごすべきものを見極める術である」the art of being wise is the art of knowing what to overlook を切り取っている。そのために読書論を超えた名言として広く使われているのだが、本来は読書術に由来する技法である。そのことに気がついたため、リチャード・ホガート『読み書き能力の効用』（ちくま学芸文庫・二〇二三年）の解説を頼まれた際、そこにネガティブ・リテラシーに関する一節を追加することとした。さらに言えば、前章の冒頭で引いた私のコラム「〆切のある人生」についても、いまでは別の解釈も加えている。「〆切」は、見過ごすべきものを見極める枠組み（フレームワーク）なのである。

第1節は「戦争報道に「真実」を求めてはいけない」（『Voice』二〇二二年九月号）が初出である。ロシアのウクライナ侵攻をめぐる情報戦への向き合い方についてまとめている。

第2節は「AI時代には「耐性思考」が必要だ」（スマートニュース メディア研究所オンライン・二〇二二年三月七日）が初出である。それは坂本旬・山脇岳志編著『メディアリテラシー——吟味思考（クリティカルシンキング）を育む』（時事通信社・二〇二一年）への書評論文だが、ネガティブ・リテラシーという概念に私が到達する直接のきっかけとなった。書評部分を削って、「「ネガティブ・リテラシー」の時代へ」村上陽一郎編『「専門家」とは誰か』（晶文社・二〇二二年）の一部を利用している。

第3節はホガート『読み書き能力の効用』に寄せた「解説」を元にしているが、読書論として執筆した「ネガティブ・リテラシーの効用」『現代の図書館』六一巻三号（二〇二四年三月）の内容も加えた。

1　戦争報道に「真実」は求めない（二〇二二年九月）

不安から始まる戦争

新たに戦争が起こるたびに、私は学生時代に読んだA・J・P・テイラーの『戦争はなぜ起こるか――目で見る歴史』（新評論・一九八二年）を書架から取り出した。イギリスを代表する現代史家が一九七七年に行ったBBCテレビ講座をまとめた著作である。冒頭でテイラーはこう述べている。

実際には、戦争は闘争欲や征服欲といったものより、むしろ不安から生じたのであった。皮肉なことに、ヨーロッパにおける戦争の多くが、それによって得られるものは何もなく失うもののほうが多いにもかかわらず、脅かされた国のほうからしかけられているのである。（略）日本の場合ですら、一九四一年に真珠湾攻撃をしたのは侵略というより、不安からの行動であった。ソ連と合衆国の間の「冷戦」にしても、今、ふり返ってみると、一方が他方を破滅させようと意識的に計画したというよりは、ある程度までは、相互不信にその原因があったように思える。

その上で、テイラーは「一九世紀初頭以降、五回にわたって次々とヨーロッパの国ぐにから侵略されてきた」ロシアの歴史的記憶、その不安の大きさに理解を示している。現在進行中のプーチン大統領のウクライナ侵攻にもそうした不安が影響していることは明らかである。最近翻訳されたキース・ロウ『戦争記念碑は物語る』(白水社・二〇二二年)はヴォルゴグラード(旧スターリングラード)の「母なる祖国像」(原著表紙)から書き起こされているが、二一世紀に入ってロシアが巨大な戦争記念碑を次々と建てた理由をこう説明する。

ロシア人が戦時中の英雄的行為をこれまで以上に主張するようになったのは、彼らの社会に新たな不安定さ、もしくは脆弱性が生まれているからではないかと感じずにはいられない。

むろん、NATOの東方拡大に対するロシア人の不安を理解することと、その不安に起因する現在の侵略行為を認めることはまったく別のことである。しかし、戦争原因をただ独裁者の権力欲や妄想癖など「例外的病理」として説明すべきでないことも明らかである。

二〇二二年二月二四日、プーチン大統領がロシア国民にテレビ演説を行ってウクライナ戦争は開始された。それは自国民に対する演説であって、ウクライナに対する宣戦布告ではない。いまもロシア国内では「特別軍事作戦」と称されており、「戦争」の呼称は禁じられている。

これと同じような宣戦布告なき戦争状況、すなわち「事変」に私たち日本人も約九〇年前に直面していた。

第二次世界大戦終結から七七年の夏、二〇二二年現在ウクライナで進行中の戦争を冷静に考察するために、私はこの戦争を「ウクライナ事変」と呼ぶべきだと思う。今日、ロシアが置かれている国際的孤立、その一方で専制主義国家間での同盟強化は、決して他人事ではない。それは満洲事変(一九三一年)から日独伊三国同盟(一九四〇年)、そして第二次世界大戦(一九四一年)へと突入した昭和史の戦争記憶と重なるからである。

かつての日本も、今日のロシアのように「侵略国家」と世界中から見られていた。そう考えてこそ、現在の戦争報道を批判的に検討できるのではないか。むろん、それはロシア側に立って考えるという意味ではない。ロシアが国際法を無視しており、そこで戦争犯罪が行われていることは否定しがたい事実である。また、日本の国益を考えるならばウクライナ支援こそが合理的選択である。さらに言えば、私自身も世間の「空気」、すなわち世論と同じく、あるいはそれ以上にウクライナに同情的であり、独裁者プーチンの戦争を支持し続けるロシア社会に道徳的な怒りをぶつけたい気持ちは抑えがたい。

プーチンを「二一世紀のヒトラー」とラベリングして、自由主義体制あるいは英語圏《アングロスフィア》の情報環境に身をゆだねる方が心理的には居心地がいいはずだ。平成時代に流行した架空戦記で「日独決戦もの」に人気が集中するのと同じ理由である。石田あゆう「架空戦記——日本の敵はどいつだ?」(佐藤卓己編著『ヒトラーの呪縛』下・中公文庫)は、そこに隠された「日本のねじれたナショナリズム」をこう分析している。

一九九〇年代にブームとなった「日独決戦」架空戦記は、戦争に負けた日本人の自尊心が生み出したファンタジーだった。八〇年代に国際的な経済戦争に勝利したことで、敗戦のトラウマから解放されたものの、史実としての敗戦は変えようがない。悪い敵としてヒトラーやドイツを持ち出し、日本がそれを正義の立場でたたきのめすことで、そんな敗戦コンプレックスと折り合いを付けていたのである。

そうしたファンタジーに逃避せず、リアルな歴史から何かを学ぼうとするのなら、不快でも敢えて侵略者側の視点にも立って複眼的に戦争報道を吟味する必要があるだろう。ちなみに、プロパガンダ研究を含む新聞学(Zeitungswissenschaft)がドイツの大学で講座化されたのは第一次世界大戦中であり、ナチズムに対抗する戦時動員の政策科学としてマス・コミュニケーション研究(studies of mass communication)が成立したのは第二次世界大戦期のアメリカである(拙著『現代メディア史 新版』岩波書店・二〇一八年)。つまり、戦争ジャーナリズムと戦争プロパガンダは表裏一体であり、メディア研究の原点は宣伝戦なのである。

ソーシャルメディア時代の戦争報道

ウクライナにおける戦争報道では、サイバー攻撃もふくむ「ハイブリッド戦争」という言葉がニュース解説でしばしば登場した。しかし、戦時と平時を明確に時期区分できない宣伝戦、思想戦、心理戦、情報戦が強調されたのは、最近のことではない。今回の「ウクライナ事変」も、いつ戦闘が始まったのか、それを確定することは難しい。新聞やテレビでは「侵攻から三カ月」、「侵攻一〇〇日目」など、二〇二二年二月二四日に戦争が始まったように報じられている。しかし、そんなはずはない。二〇一四年のロシアによる「クリミア併合」以来、ウクライナ東部地域では政府軍と親ロシア武装勢力との間で「ドンバス戦争」が続けられていた。その犠牲者は数万人に達するはずだが、二〇二二年二月まで日本のメディアがこの戦争を詳しく報じてきたわけではない。情報戦という視点に立つのであれば、これまで見て見ぬふりをしてきたメディアが突如として集中的に報じる変化の背景にも目配りは必要だろう。

ここでは「いつ戦争が始まったのか」という難問はいったん棚上げして、「どのように戦争報道が始まったか」を確認しておきたい。ロシア軍のキーウ進攻初日から五日間、ＮＨＫと民放で放送された夜のニュース番組の戦争報道については、上杉慎一が量的に分析している(「ウクライナ侵攻初期にテレビは何を伝えたか──ソーシャルメディア時代の戦争報道」『放送研究と調査』二〇二二年七月号)。ネット時代とはいえ、今日でもテレビ放送は情報戦の主戦場である。ニュース内容の全体時間量としては「戦況・被害」が断トツで、「ロシアのねらい」「経済制裁」「現地は今」「停戦交渉」の順に続いている。上杉は「ソーシャルメディア時代の戦争報道」の特徴として、コロナ禍で急速に普及した現地とのオンライン取材、さらに「戦況・被害」の報道で使われるスマートフォン撮影の「縦動画」を含むSNS映像を挙げている。むろん情報戦という意味では、後者の方が重要だろう。ウクライナのゼレンスキー大統領やキーウのクリチコ市長などのSNS発信も注目されたが、一般市民がスマートフォンで撮影したように見える「縦動画」もニュースで多く使われていた。もちろん、ウクライナ政府の公式プロパガンダである「ゼレンスキー大統領の自撮り『Twitter 映像』」に高度な演出が含まれることは自明である。しかし、多くのSNS映像が発信元を明示しないまま日本のテレビ放送で使われていた。上杉はその問題点を次のように総括している。

発信側が切り取った映像がそのまま使われ、結局、戦争の一方の当事者(特にウクライナ)が発信する情報に過度に依拠した報道になったのならマイナス面も見過ごせない。

むろん、「侵略国」ロシアの国営メディアが発信する情報を、信用できないプロパガンダと見なすのは正しい判断である。とはいえ、完全な虚偽のプロパガンダは有効ではなく、少なくとも一部は現実と合っていなければ効力は発揮されない。逆に言えば、効果を狙ったプロパガンダである以上、そこには何がしかの事実が含まれているのである。その上で「被侵略国」側が発信する情報もプロパガンダとして冷静に扱うリアリズムは持つべきだろう。

プロパガンダの発信者はその効果の最大化をめざしているが、より正確に言えば、プロパガンダの限定的な効果が過大に評価されることを狙っている。デジタル革命がプロパガンダのゲームを根本から変えたという類《たぐい》の主張は、むしろプロパガンダ効果を人びとに過大評価させるために使われるレトリックと考えるべきだろう。

新しいテクノロジーの有害性を含め、影響力を誇張する議論はいまに始まったものではない。書物、新聞、映画、ラジオ、テレビなどあらゆるメディアが新たに登場した時には必ず繰り返されたメディア効果論である。というのも、一般の生活者が社会の変化を最も敏感に感じ取れる表象が「ニューメディア」だからである。その強力効果論は、伝統的な生活習慣に固執した年長世代が抱く変化への違和感を正当化してくれる。科学技術の進歩そのものに公然と反対を表明する人は少ないが、それがもたらす生活の変化に反発する心情は年長世代の多くが共有しており、それがニューメディア強力効果論を受け入れやすくしている。SNSで最強化されたように語られる戦時プロパガンダと冷静に向き合うためには、これまでのプロパガンダ史にまず立ちかえって学ぶことが必要だろう。

プロパガンダ史の教訓

一方の当事者からの情報に依拠することの危険性として、プロパガンダ史の標準的概説書、G・S・ジャウエット、V・オドンネル『大衆操作――宗教から戦争まで』(ジャパンタイムズ出版・一九九三年)に掲載されている二つの事例を挙げておこう。

まずウクライナ関連として、一九八六年四月二六日に起きたチェルノブイリ(ウクライナ語でチョルノービリ)の原発事故報道である。秘密主義の情報統制で知られたソ連政府がこの事故について報道したのは三日後であり、その間に欧米マスコミは「二〇〇〇人以上が死亡」とウクライナの反ロシア組織が流す虚報をセンセーショナルに報道した。すぐにアメリカ政府は軍事衛星からの写真を公開したが、ソ連のゴルバチョフ大統領がテレビニュースで二人が即死、二九人が死亡、三〇〇人以上が被曝症と発表したのは約三週間後の五月一四日だった。このとき、ソ連政府の公式発表をまともに信じるものはいなくなっていた。これを転機としてグラスノスチ(情報公開)がペレストロイカ(立て直し)の柱となるものの、ソ連崩壊はこの五年後である。情報戦において「沈黙」は敗北なのだ。

次も衛星放送時代の事例だが、一九九一年の湾岸戦争報道は今日の情報戦と直結している。CNNは一月一七日、首都バグダッドの空爆映像をリアルタイムで送り出し、アメリカは四三日間の作戦経過を映像つきで発表し続けた。いわばアメリカは「テレビの視聴率」を考慮しつつ、戦争を演出したのである。戦争報道を見れば見るほど、人びとの態度は戦争に参与するべきだとする方向に強化されたとマサチューセッツ大学が実施した調査は分析している。戦争支持に傾いた視聴者がますますテレビに釘づけになったのであって、必ずしもテレビ映像が戦争支持の世論をつくり出したのではない。

とはいえ、ナイーラ事件として知られるフェイクニュースが戦争支持の国際世論に与えた影響は大きい。一九九〇年一〇月一〇日にナイーラと名乗る一五歳のクウェート人少女がイラク兵の残虐さを涙ながらに訴える映像がニュースで流された。イラク兵が病院で赤ん坊を未熟児保育器から取り出し死亡させたというのである。アメリカ大統領ジョージ・H・W・ブッシュはこのナイーラ証言をその後四〇日間に一〇回以上も引用して軍事介入の支持を訴えた。戦後すぐにこの「事件」を調査したアムネスティ・インターナショナルは事件が実際に起きた証拠をみつけることはできなかった。このニュースはアメリカのPR会社ヒル・アンド・ノールトン社がクウェート政府から資金を受けて演出したものであり、アメリカ人が共鳴するような争点をあらかじめ研究した上で実施されたお芝居であることが判明した。ナイーラを演じた名女優はクウェート駐米大使の娘であったといわれている。

もちろん、このニュースがフェイクだったと判明しても大衆的な抗議運動は起こらなかった。また、この「正義の戦争」を支持した日本のメディアが戦後に詳しく検証報道したわけでもない。検証されない理由としては、戦争報道においてフェイクはありふれており、そもそもニュース性(新奇性)に乏しいためなのだろう。

同じようなことが今回もウクライナで繰り返されているはずだと訴えたいわけではない。指摘したいのは、デジタル技術で真偽の識別がより困難になったとしても、SNSの登場以前からフェイクニュースが戦争報道では普通であったという事実である。さらに言えば、満洲事変も「柳条湖事件」という壮大なフェイクニュースで始まったことを、いまも私たちは忘れるべきではない。

本節冒頭で引用したA・J・P・テイラーは「満洲事変」を第二次世界大戦の起点の一つと考えていた。今回の「ウクライナ事変」が第三次世界大戦の開幕と見る歴史家もすでに登場している(エマニュエル・トッド『第三次世界大戦はもう始まっている』文春新書・二〇二二年)。「未来を予言する能力などない」歴史家として、テイラーは次の言葉を残している。

「第三次世界大戦は起こりますか」と聞かれたら、「人間の行動様式が過去も未来も変わらぬものであれば、第三次世界大戦は起こるでしょう」と私は答えよう。しかし、もちろん人が過去と違う行動をとることも常に可能なのである。

行動様式を変えることが人間に可能ならば、メディアとの向き合い方を変えることも可能だろう。だが、今のところ人びともメディアも過去と違う動きをとる気配は見受けられない。

2 AI時代に必要な耐性思考(二〇二二年三月)

戦争報道に誤報や虚報が多いことは、メディア史の常識である。「大本営発表」は典型だが、戦争報道は宣伝戦の中で行われる。「偽情報」、「誤情報」という言葉を私が意識的に避ける理由は、「偽」や「誤」が付いていなければ「情報」は正しい、と言えないからである。

そもそも、和製漢語の「情報」は、明治期の陸軍で「敵情報告」の略語として生まれた。それを日本から輸入した中国では、今日も「情報」はスパイ活動を含む軍事用語である。日本でも戦前は俘虜情報局や内閣情報部などほぼ軍事的に使われていた。戦争放棄を誓った敗戦後の日本で、「情報」は軍民転換され、情報産業などのビジネス用語として発展してきた。

また情報の効果を分析するマス・コミュニケーション研究も、第二次世界大戦中のアメリカで膨大な軍事予算を投入して確立された。それは宣伝戦に勝つための軍事科学、国民を総動員するための政策科学だった。いかに「正しい情報」を早く効果的に伝達できるかという宣伝戦の課題設定においては、「正しさ」の中身も「情報」の真偽も問われることはない。効果の大小だけが問題だからである。

それにしても、私たちは個人で情報の真偽を容易に識別できるものだろうか。まして「正しさとは何か」という哲学的な問いに即答できる人は少ない。それでも、メディア史を専門とする歴史家の目からすれば、情報の真偽は時間の経過によって自ずから明らかになる場合が圧倒的に多い。あいまい情報に耐える力を私が強調するのは、多くの問題が時間によって解決されているからである。

実際、輿論（公的意見）と世論（私的心情）を区別する基準として「時間耐性の強度」を挙げてきた（本書一二八頁）。熱しやすく冷めやすい世論なら明日にも反転する可能性がある一方、輿論であれば熟慮した時間に応じて安定している。その限りでは世論調査の民意よりも政治家へのアンケートの方がより輿論に近いと言えるのかもしれない（本書一一四頁）。

こうした時間を要する輿論政治《デモクラシー》が大衆社会で困難となることは一〇〇年前から指摘されていた。その名著こそ、ウォルター・リップマン『パブリック・オピニオン』（原著一九二二年）である。現行の岩波文庫（掛川トミ子訳・一九八七年）のタイトルは『世論』だが、原著刊行の一年後に翻訳出版された中島行一・山崎勉治訳はもちろん『輿論』（大日本文明協会事務所・一九二三年）だった。そもそもリップマンは「公的な事柄」のイメージを個人の認知心理学的ミクロレベルと集合的な社会学的マクロレベルに区別しており、前者を小文字複数形 public opinions、後者を大文字単数形 Public Opinion と書き分けていた。岩波文庫版から引用しておこう。

このような人びとの脳裏にあるもろもろのイメージ、つまり、頭の中に思い描く自分自身、他人、自分自身の要求、目的、関係のイメージが彼らの［小文字の］世論というわけである。人の集団によって、あるいは集団の名の下に活動する個人が頭の中に描くイメージを大文字の「世論」とする。

戦後は「輿」が制限漢字となったため、掛川訳では大文字（輿論）と小文字（世論）を訳し分けることができなくなっている（二〇〇四年に人名用漢字に追加されたが、いまだ常用漢字表には入っていない）。それでもこの著作は「疑似環境」や「ステレオタイプ」という概念を生み出した社会学の古典として広く読まれている。しかし、リップマンの主張が今日、正確に読み取られているとは言えない。マスメディアが提供するステレオタイプで行われる「合意の製造」において、大衆世論はどのように制御できるのか。そこにおいて専門家の果たす役割とは何か。第一次世界大戦で宣伝戦に従事した経験を踏まえて、リップマンはこうした問題を真剣に考えていたのである。

村落共同体のような小社会なら人びとが出来事を直接観察することも可能だが、コミュニケーション活動が増大する大社会では、個人がマスメディアによらず社会全体を一望することはできない。しかも一日平均一五分程度しか新聞を読む時間がない普通の市民の生活を考慮すれば、世界中のニュースをステレオタイプに圧縮して提示する新聞報道は経済的合理性にかなっている。

また、ステレオタイプは大社会の複雑性を縮減する安心のシステムとしても不可欠である。安定した秩序と矛盾のない世界観を提供するステレオタイプを、個人は社会化の過程で学習しており、それは「社会的遺産」として親から子どもへ相続される。そのため個人がステレオタイプを拒絶すること、さらに是正することは予想以上に難しい。しかも大衆は労働の疲労、生活の不安、都市の喧騒にさらされており、既存のステレオタイプを批判的に検討する余裕は時間的にも精神的にも持っていない。戦時下のような危機的状況では「財産と教養」をもつ有閑階級とて熟慮の余裕などはなく、メディアが報じるニュースを丸呑みするしかないだろう。このマス・コミュニケーションという疑似環境の下で公衆の自律的な合意形成はありえず、ステレオタイプどおりに世論が形成されることになる。こうした「合意の製造」を大衆民主主義の必然とみなすリップマンは、その弊害を取り除く情報システムの構築を提案した。

それは歪んだステレオタイプを修正する公的な情報システムであり、そこには「利潤を追求しない知的職業」の専門家が必要となる。ステレオタイプは空間的にも時間的にも限定された文化的構成物であるため、国際的な視野をもち歴史的時間軸で思考する訓練をつんだ「非党派的」専門家であれば、その問題点を指摘することも可能となる。それゆえ、こうした情報の収集と配信のコントロールは「公共善に奉仕する知的な専門家」の手に委ねられるべきだ、とリップマンは主張した。公的な関心に乏しく、権力の行使方法を知らない大衆が主権者となれば、人民による人民にとっての最悪の統治形態が生まれる可能性が高いからである。

こうした大衆民主主義に対するペシミズムを、リップマンはその翌年に刊行された『幻の公衆』(原著一九二五年、柏書房・二〇〇七年)でさらに展開している。第二章「達成できない理想」では、それまで多くの論者が主張してきた市民教育への期待を明確に退けている。

民主主義の無能力に対する救済を、いつもの教育に訴えることは不毛である。〔略〕教育への月並みな訴えは失望しかもたらさない。現代世界の諸問題は、教師たちが把握し、その実質を子どもたちに伝えるより速く現れ、変化するからである。その日の問題をどう解決するか、子どもたちに教えようとしても学校はいつも遅れてしまう。

教育は社会の「速度」に追いつくことはできない。いや追いつこうとするべきでもないのである。教育が一〇年後や二〇年後の人間的成長を見すえた営為であると考えるなら、「ファスト教育」は教育ではなく反教育を意味するからである。また、同書第一三章「輿論の原則」でリップマンは民主主義者の錯誤を次のように戒めている。

多くの事実を教わり、さらに関心を深め、より良い新聞を読み、講演を聞いて報告書に目を通しさえすれば、彼は徐々に公的な問題を指図できるよう訓練されると信じられた。これら前提のすべてが誤りである。輿論について、また公衆のやり方について、それは誤った概念に基づいている。市民教育のもくろみが成就する見込みはない。達成できない理想に向けて前進するものは何もない。

だとすれば、市民の熟議は望ましい理想ではあっても、その実現が不可能であるために、その追求は現実政治にとって不都合、ときに有害となるだろう。

『メディアリテラシー――吟味思考を育む』の射程

こうした市民啓蒙、あるいは市民教育へのリップマンのペシミズムに対して、公教育による参加民主主義の再生を夢見たジョン・デューイは『公衆とその諸問題』(原著一九二七年、ちくま学芸文庫・二〇一四年)で反論を加えている。デューイの主張を詳しく紹介する必要はないだろう。それはSNS時代のメディアリテラシー教育論でいまも繰り返される理想だからである。

たとえば、現段階におけるメディアリテラシー教育の到達点を示すものに、坂本旬・山脇岳志編著『メディアリテラシー――吟味思考(クリティカルシンキング)を育む』がある。同書にはメディアリテラシー教育の先進国アメリカで活動する著名な専門家のインタビューが多く掲載されている。ルネ・ホッブス「すべての子どもたちにメディアリテラシー教育を」(第八章)、菅谷明子「すべての情報は再構成されている」(第一〇章)、アラン・ミラー「NLP(ニュース・リテラシー・プロジェクト)を創設した理由と「陰謀論」の脅威」(第一五章)などである。いずれも意欲的な教育実践の指針を示しているが、メディアリテラシー教育の難題はむしろその前提にあるのではないだろうか。

多くの場合、メディアリテラシーは「メディアを批判的に読み解く力」と理解されており、そのためには批判的思考(クリティカルシンキング)が必要だと考えられてきた。しかし、この批判的思考はしばしばマスコミ批判と単純化されたようである。実際、今日インターネット上に氾濫する「マスゴミ」批判もメディアリテラシー教育の意図せざる結果と言えなくもない。だからこそ、同書の第九章「批判的思考とメディアリテラシー」において教育心理学者・楠見孝は「批判は非難ではない」とわざわざ次のような前置きをしている。

批判的思考(クリティカルシンキング)は、「批判」という言葉から「相手を批判する思考」と誤解されて、攻撃的なイメージが持たれている。しかし、批判的思考において大切なことは、第一に、相手の発言に耳を傾け、証拠や論理、感情を的確に解釈すること、第二に、自分の考えに誤りや偏りがないかを振り返ることである。従って、相手の発言に耳を傾けずに攻撃することとは批判的思考とは正反対の事柄である。

それゆえ、同書の副題にもあるように、クリティカルシンキングに「吟味思考」という新しい訳語をつけることが提唱されている。「吟味」は念入りに調べて選ぶことであり、「批判」よりも十分な時間の必要を示すため、この点では高く評価できる訳語といえる。

しかしながら、「吟味思考」を学校におけるメディアリテラシー教育の成果としてどの程度まで期待できるだろうか。つまり、「吟味思考」する市民の比率をどのくらいまで高めることができると想定するべきだろうか。フェイクニュースが大統領選にまで影響を及ぼす分断社会のアメリカを見る限り、そうした教育実践の効果について、私はデューイのようには楽観的になれない。

メディアリテラシー教育論が楽観的に見えるのは、それが市民新聞——大衆新聞《マス・ペーパー》の対義語——の黄金時代に活躍したデューイの思想的系譜に連なるためでもあろう。人間の自発性を重視するデューイの教育論は、わかりやすく言えば市民新聞の読者層、あるいは教養市民層の教育論である。だが、現在のメディアリテラシーの困難性は、そうした市民新聞(高級新聞)の読者モデルが一般化できるメディア環境ではなくなったことではないだろうか。その点ではSNS普及の影響が大きい。SNSは個人の情報発信力を飛躍的に高めるとともに、レコメンデーション(推奨)システムで大量のパーソナライズされたフィルターバブルの情報伝達を可能にしている。

いま現在も五〇代以上の教師(新聞読者)と一〇代の生徒(ネットユーザー)の間で、メディア環境に対する認識ギャップは急速に拡大している。「学校はいつも遅れてしまう」と、リップマンが一〇〇年前に発した言葉はますます有効なのだ。年配の教師がまだ学生だった一九九〇年代に接した初期インターネットでは「篤志《とくし》的なモチベーションに基づいたコンテンツ発信」が中心であり、その主要な担い手は一般大衆ではなく専門家だった。その当時、ユルゲン・ハーバーマスの市民的公共性論をベースに電脳公共性を語ることが流行していたのもそのためだ。たとえば一九九六年に刊行された公文俊平編著『ネティズンの時代』では、ネットワーク・シティズンが「智民」と訳出されていた。デジタル空間が大衆に開放された今日でも「智民」はメディアリテラシー教育の達成目標かもしれないが、さすがに「ちみん」を口にする人はもういない。フェイクニュースに飛びつき陰謀論を拡散する「痴民」に文字変換される可能性が高いからである。

そもそも、サイバーシティズン（電脳市民）がどれほどクリティカルシンキング（吟味思考）をマスターしたところで、情報の真偽がそう簡単に見分けられると考えるべきではない。私たちが何かの専門家になるということは、別の何かの専門家ではないということを意味する。あらゆる領域で情報の真偽を見分ける能力など、たとえ情報分析のプロフェッショナルであっても個人的には持ち合わせていない。

だとすれば、フェイクニュースなどへの対応策として一般の人びとに求めるべきは積極的（ポジティブ）なメディアリテラシーだけでよいだろうか。むろん、情報源を検討する判断基準として「ソ・ウ・カ・ナ＝即断しない・鵜呑みにしない・偏らない・中だけ見ない」や「だ・

い・じ・か・な＝誰・いつ・事実・関係・なぜ」を生徒に教えることは必要だ。しかし、それでも見分けがつかない「あいまい情報」に直面した際に、どう対応すべきか、それこそが問われるべきではないだろうか。

そのとき多くの教師は「より広くより深いクリティカルシンキング」を生徒に求めるのかもしれない。しかし、それは誰にでも、できることではない。リップマンの時代より情報量が爆発的に増大した今日、ますます不可能な要求である。そのために受け入れる情報を減量する「デジタル・ダイエット」が提唱されるわけだが、食事制限の継続が誰にもできないからこそ、ダイエット産業は不滅なのではないか。

さらに言えば、私たちが情報に接するのはテストを受ける教室ではなく、快適に過ごす日常空間であることが圧倒的に多いはずだ。そうした空間で私たちが求めるのは、認知的な不協和を生まない心地よい情報である。その状況で私たちは「ソ・ウ・カ・ナ」「だ・い・じ・か・な」とファクトチェックをするだろうか。少なくとも私にはできそうもない。

こうした現状を考えた上で、私は前著『流言のメディア史』を次の言葉で結んでいる。

> マスメディアの責任をただ追及していればよかった安楽な「読み」の時代はすでに終わり、一人ひとりが情報発信の責任を引き受ける「読み書き」の時代となっている。こうした現

代のメディア・リテラシーの本質とは、あいまい情報に耐える力である。この情報は間違っているかもしれないというあいまいな状況で思考を停止せず、それに耐えて最善を尽くすことは人間にしかできないことだからである。

この「耐える力」への期待は、情報の真偽を見分けることが容易ではない、いや、ほとんど不可能なあいまい情報への向き合い方から生まれた。そして、私たちに必要なのはAIが不得意とするあいまい情報に対するリテラシーである。その場合、むしろ消極的（ネガティブ）な視点でメディアリテラシーを考えるべきではないのか。それは情報をやり過ごし、不用意に発信しない力である。

このネガティブ・リテラシー（消極的な読み書き能力）と同様な発想法は、精神医学者・帚木蓬生の『ネガティブ・ケイパビリティ――答えの出ない事態に耐える力』（朝日新聞出版・二〇一七年）でも確認できる。帚木はネガティブ・ケイパビリティを「性急に証明や理由を求めずに、不確実さや不思議さ、懐疑の中にいることができる能力」と定義している。

この言葉は一九世紀英国の詩人ジョン・キーツがシェークスピアの天才的創作の秘訣にふれて最初に使用したものである。長らく忘れられていたこの概念は、二つの世界大戦に従軍した英国の精神分析学者ウィルフレッド・R・ビオンによって再発見された。

私たちはあいまい情報に直面した場合、このネガティブ・ケイパビリティを意識しない限り、早く「分かろう」「理解しよう」とするのが普通である。ケイパビリティ(能力)とはポジティブ(積極的)であるのが普通である。帚木はその理由を「分かりたがる脳」に求める。その正常な脳を快適状態に保つために、専門家は何ごとであれ標準化・体系化された手引書を用意する。医療現場ではまずマニュアルが参照される。なるほど、私が患者だとしても、病院では速やかに病名を指摘され、はっきり説明されることを望むはずだ。マニュアルを使わず「よくわかりませんね。経過をみましょう」と言われて、安心できる患者は少ないだろう。

同じようにメディアリテラシーのマニュアルとして、前述した情報チェックリスト「ソ・ウ・カ・ナ」や「だ・い・じ・か・な」も使用されていないだろうか。ニュースのあいまいさに耐えることより、まず真偽をわかりやすく識別して安心することを私たちの脳は求めているからである。時間的にも精神的にも余裕のある人でなければ、より広くより深く思考するために判断を引き延ばすことはむずかしい。

だが、精神医療の現場では、病因を不明のままにしておく方が患者にとって望ましい場合も少なくないようだ。何もしなくても時間経過で自然に治癒する場合もあり、主治医は不安な患者を「しかと見ている」ことが大切だと帚木は言う。こうしたネガティブ・ケイパビリティの臨床例からメディアリテラシー教育が学ぶことは少なくないはずだ。専門家を育てる大学人として帚木の次の言葉は心にしみる。

問題解決が余りに強調されると、まず問題設定のときに、問題そのものを平易化してしまう傾向が生まれます。単純な問題なら解決も早いからです。

そうであれば、メディアリテラシー教育でも問題解決を強調すべきではない。イエス／ノーの世論調査、すなわちON／OFF、白／黒のデジタル思考への抵抗力を高めること、あいまい情報の中で事態に耐える人間力こそが、AI時代に求められるリテラシーだからである。あいまい情報をやり過ごし、不用意に発信しない思考がクリティカルシンキングであるのならば、それは「耐性思考」とでも呼ぶべきなのではあるまいか。

3　ネガティブ・リテラシーの効用（二〇二三年一一月）

これまで、新しいメディアリテラシーに限らず、伝統的な読み書き能力も、教育現場ではもっぱらポジティブ（積極的・肯定的）に語られてきた。特に日本社会ではリテラシーがネガティブ（消極的・否定的）に論じられることは少なかった。読み書き能力こそ身分制社会を解体し、近代化＝工業化を推進する前提であり、それが国民的公共圏への入場券と考えられてきたためである。

しかし、リテラシーの問題点を批判的に論じたメディア論も存在しないわけではない。たとえば、リチャード・ホガート『読み書き能力の効用』（原著一九五七年、ちくま学芸文庫）である。著者のホガートはカルチュラル・スタディーズの拠点「バーミンガム学派」の創始者、現代文化研究センター（CCCS）初代所長として知られている。

一九世紀末以降、初等教育の拡充により労働者階級が読む力を得たことで、労働者文化はどのように変貌したのか。この問いに答えるべく、ホガートは同書の第Ⅰ部「より古い秩序」で労働者の生活世界を祖父母・両親が生きた一九世紀後半から丹念に描き、第Ⅱ部「新しい態度に席をゆずる過程」でホガート自身が奨学金を得て労働者階級から知識階級へと階級移動した二〇世紀前半の文化商品、すなわち週刊紙、大衆小説、ポルノグラフィ、流行歌、コマーシャル・ソングなどを具体的に分析している。

一九世紀以前の民衆文化 popular culture と二〇世紀以後の大衆文化 mass culture の決定的な違いが「読み書き能力」の有無であることは確かである。ホガートは民衆文化と大衆文化を明確に使い分けてはいないが、労働者階級に固有の民衆文化が安価な大衆文化に席捲されてゆく様子を独特の哀調で記述している。

その意味ではホガートより一世代上で同じく「奨学金少年」だったD・H・ロレンスが、哲学者フリードリヒ・ニーチェを信奉して「読み書き能力の弊害」を説いたことも想起すべきだろう。ニーチェは「読むことと書くことについて」(『ツァラトゥストラ　上』ちくま学芸文庫・一九九三年)でこう述べている。

誰もが読むことを学んでよいということになれば、長いあいだには、書くことだけではなくて、考えることまでも腐敗させられる。

ニーチェの箴言を踏まえて、ロレンスは「すべての学校をただちに閉鎖せよ」と主張した。文字を読めないほうが下劣な大衆読物や日曜新聞の悪影響から労働者階級を守ることができるというのである。「奨学金少年」第二世代のホガートはそこまで大衆読物の悪影響を深刻に捉えていないものの、『読み書き能力の効用』にもニーチェの余韻を見出すことはできる。

真理に触れるには、ほかの道がいくらもある。より詰らない大衆娯楽に私が反対する最大の理由は、それが読者を「高級」にさせないからではなく、それが知的な性向をもっていない人びとがかれらなりの道をとおって賢くなるのを邪魔するからなのだ。

個人的に消費される画一的な大衆文化は、かつて労働者階級がもっていた「より積極的な、より充実した、もっと協同で楽しむ種類の娯楽」を干し上げていく。よく人を楽しませる者が、そのことで一番自分も楽しむことができた「おれたちの世界」は、スターの代行作用で満足する「見物人の世界」に変わった、というのである。自らもその一人である労働者階級出身の元奨学生の視線で、ホガートは「おれたちの世界」、すなわち労働者コミュニティの崩壊を見つめている。大学で博士号を取り官僚や学者になった彼らは、「もうどの集団にも、本当は属していない」と痛感している。「おれたちの世界」にも「やつらの世界」にも属さない彼らの立ち位置が、カルチュラル・スタディーズの複眼的思考を可能にしたと言えるだろう。ホガートは労働者が彼らのように『タイムズ』を読み、BBCの教養番組を視聴し、ペリカン・ブックス(岩波新書のモデル)を購入することを期待すべきではない、という。

人口の大多数がいつか『タイムズ』紙を読む日がくるだろうなどと期待するのは、人間存在がいつの日か体の構造まで変わるだろうと願うのと同じで、一種の知的俗物主義におち入ることでしかない。品のいい週刊誌を読む能力が、そのままよい生活を送るのに必要欠くべからざるものではない。

ホガートは労働者が「高級文化」に触れないことが問題だとは考えないのである。しかし、同じ現象を考察したジョン・ケアリ『知識人と大衆――文人インテリゲンチャにおける高慢と偏見』(大月書店・二〇〇〇年)は、一九世紀末から文学や芸術が難解になっていった理由として、労働者階級のリテラシー向上への知識人の対応を挙げている。

知識人には大衆が字が読めるようになるのを阻止することはもちろん実際にはできなかった。しかし知識人は文学を難解にすることで大衆が読むのを阻止することはできた――これは彼らが実際に行なったことである。二〇世紀初頭にはヨーロッパのインテリが大衆を文化から締め出そうという決然たる努力を行なう様が見られた。イングランドではこの運動はモダニズムとして知られている。

つまり、モダニズム文学は一九世紀末の教育改革によって生み出された空前の大読者層に対する知識階級の拒絶反応であり、新たに読み書きを覚えた大衆との距離を保つべく、わざと難解に書かれていた、とケアリは主張する。いずれにせよ、リテラシーの普及後も、イギリスにおいて階級社会が維持されてきたことは確かである。

アクティブ・オーディエンスのネガティブ・リテラシー

ホガートが『読み書き能力の効用』を書いた一九五〇年代はまだ情報が稀少な社会だったが、当時よりも情報量が爆発的に増大した今日、同書から教訓を汲みだそうとすれば、かつて労働者階級に存在したネガティブ・リテラシーの効用ということになるであろう。

本書第一章「ファスト政治」でも述べたように、私たちは問題解決で速度を優先しがちである。速度が強調されると、学校のペーパーテストがそうであるように、まず問題設定で問題そのものをマークシート対応に単純化してしまう。たしかに単純な問題なら解決も早い。しかし、歴史家として繰り返し述べてきたように、情報の真偽は単純化しなくても時間の経過によって自ずから明らかになる場合が圧倒的に多い。その意味で、あいまい情報の前では性急に判断せず、保留したまま不確実な状況に耐えることが重要なのである。

それが「答えの出ない事態に耐える力」である限り、前節で紹介した「ネガティブ・ケイパビリティ」(帚木蓬生)と同じものと言えるだろう。この概念が二つの世界大戦に従軍した精神分析学者ビオンによって再発見されたものだとすれば、ホガートも第二次世界大戦に従軍した英文学者なので、「ネガティブ・ケイパビリティ」をあるいは知っていたのかもしれない。

ホガートは労働者階級文化の知恵、「人びとの黙って無視するという偉大な能力、ただ影響を受けたふりをして、物事を「成行きに委せる」というやり方」に高い評価を与えている。すばやく問題を解決してしまう学校秀才たちとはちがって、「本当に求めるものは吸収し、どうでもいいものは成行きにまかせる能力」が労働者階級にはいくぶんなりとも温存されているというのだ。この能動的に採用された「成行きにまかせる能力」を、ホガートは道徳的資質として称賛する。

かれらには「耐えを忍ぶ」能力があるが、これは単に受動性からくるものではなく、それが、人たるものがそこから始まるべき地点、つまり、人は多くのものを耐え忍ばねばならない――これに類した古風な言い回しをすれば、笑って耐える――という想定からくる。

こうした能動的な「耐えを忍ぶ」読み書き能力を私はネガティブ・リテラシーと呼ぶわけだが、この能力があればデジタル資本主義社会の広告や「ポスト真実」時代のプロパガンダを適当にやり過ごす生活は可能である。ここにホガートがリードした文化研究から生まれたアクティブ・オーディエンス(能動的視聴者)論の新たな可能性も見えて来るのではあるまいか。

アクティブ・オーディエンスは、ホガートの後継者となったスチュアート・ホールの「エンコーディング(記号化)／デコーディング(解読)モデル」で説明されることが多い。メディアの受け手はただ受動的に情報に接するわけではなく、個人的および社会的な文脈から支配的／妥協的／対抗的な解釈コードを選んだ上でメッセージを理解している。テレビを視聴するアクティブ・オーディエンスが「テレビの読み手」と意訳できるように、その能動的モデルは書物の閲読にも当てはまる。そもそも書物の意義は、著者よりも読者によって決定されている。その書物が「名著」か「駄本」か、「良書」か「悪書」か、その社会的評価を決めるのは、著者の力量ではなく読者の態度である。つまり、読者が採用する解読コードによって、同じ本は良書にも悪書にもなる。メディアリテラシー教育の現場では、批判的なコードを身に付けた良きオーディエンス(読者)を育てることが目標に掲げられる。だが、万人が「万能の市民」になれるという幻想を前提とすると、その教育は希望ではなく絶望を生むのではないか。

むしろ、解釈コードを選ぶ手前で、あいまい情報を聞き流し見流す術、つまりネガティブ・リテラシーこそアクティブ・オーディエンスに必要なのではないか。ホガートはかつての労働者階級文化には大衆文化商品を受け流す「道徳的資本」が存在したというのである。

その結果労働者階級は、さもなくば受けたであろうほどには、それらのものから影響を受けていないのである。もちろん問題は、この道徳的資本の在庫がいつまで続くか、また十分に更新されうるか否か、にある。しかしわれわれは、現在における、この元手の影響力を過小評価しないよう注意しなければならない。

ネガティブ・リテラシーを「道徳的資本」と評価するのであれば、それはおよそパッシブ(受動的)ではなくアクティブ(能動的)に選び取られるものだろう。それは学校秀才のパッシブ・リテラシーに劣るものではないのである。

古典に学ぶ——道徳的資本と社会的遺産

そうした「道徳的資本の在庫」は、労働者階級文化だけに求めるべきものでもない。むしろ、一般的な生活者にファクト・チェックが困難である以上、専門的にそれに従事する専門家の役割は重い。ジャーナリストの仕事でも、これからは情報の取材や伝達より情報の分析や検証に重心が移っていくだろう。そこで必要となるのがクリティカルシンキングであり、それを「耐性思考」と呼びうるとすれば、知識階級における「耐えを忍ぶ」能力は古典に学ぶ伝統の中で育まれてきたと言えるのではあるまいか。

「本当に求めるものは吸収し、どうでもいいものは成行きにまかせる能力」は、忍耐強く古典に沈潜して思考することでも得られるからである。それが不確かな日々のニュースを適当に読み飛ばし、わかりやすいデマや陰謀論の誘惑から身を遠ざけることを可能にする。むろん、古典の読書は生活にゆとりがある有閑階級のハビトゥスだから、エリート主義であることはまちがいない。しかし、「読書」という行為の枠組み、さらに読書を媒介とする論壇がそもそもエリート的、あるいは専門家的であった現実から目を逸らすべきでもないのである。

前節で、一日平均一五分程度しか新聞を読む時間がない平均的な市民のために、世の中のニユースをステレオタイプに圧縮して提示することの合理性を認めたウォルター・リップマンの議論を紹介した。既存のステレオタイプを批判的に吟味する余裕が普通の人びとにないのと同じように、戦時下のような危機的状況では「財産と教養」をもつ有閑階級とて熟考する余裕はなく、メディアの報道を丸呑みする場合が多い。こうした情報環境の下では熟議による合意形成はありえず、ステレオタイプによる「合意の製造」が大衆民主主義の必然となっている。リップマンはそうした現実を直視した上で、その弊害を取り除く情報システムの構築を提案していた。それは歪んだステレオタイプを修正する公共的な情報システムであり、そこには「利潤を追求しない知的職業」の専門家が必要だと主張した。この「公共善に奉仕する知的な専門家」の要件として、リップマンは次のような習慣を挙げている。

> 実際のところ、どんな分野であれわれわれが専門家になるということは、われわれが発見する要素の数をふやすことであり、それに加えて、あらかじめ期待していたものを無視する習慣をつけることである。〔傍点は引用者〕

「あらかじめ期待していたもの」とは定説という名のステレオタイプにほかならないが、ここでも「無視する習慣」の大切さが強調されていることに注目したい。それはホガートが労働者階級文化に見出した「本当に求めるものは吸収し、どうでもいいものは成行きにまかせる能力」と機能的に等価なのではないだろうか。

これまで、私たちはリテラシーの向上ばかりに目を向けてきたわけだが、それは情報が稀少だった二〇世紀までの伝統である。むしろ、情報過剰時代の今日、「読み過ぎず、不用意に書きこまない能力」であるネガティブ・リテラシーをアクティブに求めることが必要となる。

このネガティブ・リテラシーの中核にあるクリティカルシンキングを前節で「耐性思考」と呼んだ。そして私は輿論（公的意見）と世論（私的心情）を区別する基準として時間耐性の強度を挙げてきた。その時間耐性の強さゆえに、世論調査の数字よりも専門家の意見により大きな関心を抱いてきたのである。もちろん、そうした国民感情と専門家の意見をすりあわせ、世論を輿論にまとめあげることが、成熟した民主主義には求められる。その意味でも本書冒頭で紹介したように、デモクラシーが大正時代に「輿論主義」と訳されたことを、もう一度書き留めておきたい。

あとがき

私がネガティブ・リテラシーを唱えるに至る過程で、輿論主義（デモクラシー）とその基盤となる耐性思考（クリティカルシンキング）に関連して執筆した新聞記事と雑誌論文をまとめた。それは期せずして、『輿論と世論――日本型民意の系譜学』刊行の二〇〇八年以後、ますます加速した世論調査政治の同時代史となったようだ。

輿論 public opinion と世論 popular sentiments の分別を唱えた旧著に関連して、国内外で多くの講演を行った。その際、「輿論の世論化」の歴史的経緯だけでなく、いま現在の世論状況への具体的な対応策を論じる続編を求める声を繰り返し耳にした。とはいえ、明治維新の公議輿論から始まり、第一次安部晋三内閣（二〇〇六～〇七年）で終わる前著で、「輿論の世論化」の枠組みをメディア史家としては語り尽くしたと感じていた。それ以後に執筆した著作は、すべてその枠組みを使った応用編といえるのかもしれない。たとえば、『ファシスト的公共性――総力戦体制のメディア学』（岩波書店・二〇一八年）は世論主義（ポピュリズム）の比較メディア史と言えようか。また、『負け組のメディア史――天下無敵 野依秀市伝』（岩波現代文庫・二〇二一年）は世論主義者（ポピュリスト）の評伝である。その意味では、いまも私の関心は「輿論と世論」の枠内にとどまっている。

本書はあえて「私」を前面に出した構成をとっている。それは私が京都大学で歴史学を教わった野田宣雄先生の論壇デビュー作「「私」を忘れた戦後知識人――塩尻公明氏の死に思うこと」（『諸君！』一九六九年一〇月号）を最近読み返したためだろう。塩尻公明はJ・S・ミル『自由論』（木村健康と共訳、岩波文庫・一九七一年）の訳者だが、知識人の私的な悩みを綴った『天分と愛情の問題』（一九四三年）などの人生論で知られている。野田先生はこう書いている。

わたしがこの拙い紹介を通して読者に何とか伝えたいとおもったのは、才能とか天分といった私的な悩みにあくまでも拘泥しながら、しかもその中でけんめいに生甲斐をもとめつづけた、塩尻氏の真摯で粘りづよい生き方なのである。こういう生き方は、戦後の知識人の間では、理解されがたく、また積極的な価値もみとめられないものである。だが、はたして今日のわれわれは、こうした生き方をうとんずることによって、自分たちの精神の強靭さを誇りうるであろうか。むしろ、われわれはかつて塩尻氏の世代の青年たちが深い関心をよせた個々の人間の私的な苦悩の世界を閑却に付することによって、精神的な衰弱の過程をたどってきたのではないのか。
この論考を先生没後の一巻選集『「歴史の黄昏」の彼方へ――危機の文明史観』(竹中亨・瀧井一博・植村和秀と共編、千倉書房・二〇二一年)に収めた。それは先生が勤務した京都大学教養部が全共闘学生によってバリケード封鎖され、機動隊との間で衝突が繰り返されていた一九六〇年代末に書かれたものである。

政治や社会にたいする関心は、現代に生きるわれわれの一種の宿命のようなもので、われわれはいやでもそれを避けることはできないであろう。またわれわれが政治や社会の問題にかんして理性的に熟慮をはたらかせ、必要に応じて実際の政治運動にも参加しなければならないことも、いうまでもないことである。しかし、けっして忘れてならないのは、政治や社会への関心をもって生甲斐にかえることはできないということである。真の生甲斐をもとめようとするかぎり、個々の人間は、おのおのの私的世界への凝視をおこたることはできない。しかも、その私的世界にうずまいている各個人の欲望や苦悩は、理性的に形づくられるその人間の政治や社会にたいする関心とは、必ずしもうまく結びつかないことを覚悟してかかる必要があるだろう。一人の人間の中にくりひろげられる理性的な「われわれ」の発想と情念的な「私」の発想との間の矛盾や相剋――そうした緊張関係への自覚を欠いた政治や社会にたいする関心ほど、薄っぺらでたよりにならぬものはないだろう。「われわれ」の理性的輿論と「私」の情念的世論を対比しつつ、私自身がいくども思い起こした文章でもある。さらに右に続く文章で、先生は「私」を欠く意見のはかなさに触れている。「私」の世界に繋留点をもたない思想は、いかにはなばなしく権力にあらがっているようにみえても、しょせん一時の流行に終わるだろうということである。だがまた、「私」の世界に思想のおもりをおろすことが、いかにむずかしいことであるか。

「私」の世界に思想のおもりをおろすためには、「古典に学ぶ」ネガティブ・リテラシーが必要なのではないか、といま切実に思っている。ちなみに、野田先生は保守派の論客として知られたが、拙著『物語　岩波書店百年史2』への礼状でご自身の「私」の世界とその思想的遍歴についてこう書かれていた。

物心ついてみると自宅の書棚は岩波の書物で埋まり、父親は岩波の崇拝者であるという環境で育ち、自分自身も岩波の書物には大いに世話になってきました。だが他方で、晩年になってから、岩波派知識人(とくに『世界』に拠る知識人)を公然と批判するという巡り合わせになったのです。

この「岩波文化」へのアンビバレントな心情が綴られた手紙を読みながら、まだ論壇の左右の輪郭がはっきりしていた時代を少しうらやましく思った。あいまいさの中で自分の意見が右なのか左なのか、いつも考えなければならない時代に私は生きている。

各章のもとになった初出データは、各章の冒頭に記載している。それを担当いただいた編集者には改めて感謝したい。いずれもその依頼に応じて書いた文章であり、それによって「輿論主義」「耐性思考」「ネガティブ・リテラシー」を考え続けることができた。

本書は『メディア社会』(二〇〇五年)、『流言のメディア史』(二〇一八年)につづく三冊目の岩波新書だが、「はじめに」で書いたように、よりアクチュアルな「現代人の現代的教養」を目指したつもりである。その目標に到達したという自信はないけれど、それに向かって適切に方向づけてくれた岩波書店新書編集部の島村典行さんに御礼を申し上げたい。

二〇二四年五月吉日

佐藤卓己

佐藤卓己

1960年，広島県生まれ．京都大学大学院文学研究科博士課程研究指導認定退学．東京大学新聞研究所助手，同志社大学文学部助教授，国際日本文化研究センター助教授，京都大学大学院教育学研究科教授などを経て，
現在一上智大学文学部新聞学科教授，京都大学名誉教授．専攻はメディア文化学．
著書一『大衆宣伝の神話』(ちくま学芸文庫)，『現代メディア史 新版』(岩波テキストブックス)，『『キング』の時代』(岩波現代文庫，日本出版学会賞・サントリー学芸賞受賞)，『言論統制 増補版』(中公新書，吉田茂賞受賞)，『八月十五日の神話』(ちくま学芸文庫)，『テレビ的教養』(岩波現代文庫)，『輿論と世論』(新潮選書)，『ファシスト的公共性』(岩波書店，毎日出版文化賞受賞)，『池崎忠孝の明暗』(創元社)など多数

あいまいさに耐える──ネガティブ・リテラシーのすすめ
岩波新書(新赤版)2026

2024年8月20日　第1刷発行

著　者　佐藤卓己《さとうたくみ》

発行者　坂本政謙

発行所　株式会社 岩波書店
〒101-8002 東京都千代田区一ツ橋2-5-5
案内 03-5210-4000　営業部 03-5210-4111
https://www.iwanami.co.jp/

新書編集部 03-5210-4054
https://www.iwanami.co.jp/sin/

印刷・理想社　カバー・半七印刷　製本・中永製本

ISBN 978-4-00-432026-5　　Printed in Japan

岩波新書新赤版一〇〇〇点に際して

ひとつの時代が終わったと言われて久しい。だが、その先にいかなる時代を展望するのか、私たちはその輪郭すら描きえていない。二〇世紀から持ち越した課題の多くは、未だ解決の緒を見つけることのできないままであり、二一世紀が新たに招きよせた問題も少なくない。グローバル資本主義の浸透、憎悪の連鎖、暴力の応酬——世界は混沌として深い不安の只中にある。

現代社会においては変化が常態となり、速さと新しさに絶対的な価値が与えられた。消費社会の深化と情報技術の革命は、種々の境界を無くし、人々の生活やコミュニケーションの様式を根底から変容させてきた。ライフスタイルは多様化し、一面では個人の生き方をそれぞれが選びとる時代が始まっている。同時に、新たな格差が生まれ、様々な次元での亀裂や分断が深まっている。社会や歴史に対する意識が揺らぎ、普遍的な理念に対する根本的な懐疑や、現実を変えることへの無力感がひそかに根を張りつつある。そして生きることに誰もが困難を覚える時代が到来している。

しかし、日常生活のそれぞれの場で、自由と民主主義を獲得し実践することを通じて、私たち自身がそうした閉塞を乗り超え、希望の時代の幕開けを告げてゆくことは不可能ではあるまい。そのために、いま求められていること——それは、個と個の間で開かれた対話を積み重ねながら、人間らしく生きることの条件について一人ひとりが粘り強く思考することではないか。その営みの糧となるものが、教養に外ならないと私たちは考える。歴史とは何か、よく生きるとはいかなることか、世界そして人間はどこへ向かうべきなのか——こうした根源的な問いとの格闘が、文化と知の厚みを作り出し、個人と社会を支える基盤としての教養となった。まさにそのような教養への道案内こそ、岩波新書が創刊以来、追求してきたことである。

岩波新書は、日中戦争下の一九三八年一一月に赤版として創刊された。創刊の辞は、道義の精神に則らない日本の行動を憂慮し、批判的精神と良心的行動の欠如を戒めつつ、現代人の現代的教養を刊行の目的とする、と謳っている。以後、青版、黄版、新赤版と装いを改めながら、合計二五〇〇点余りを世に問うてきた。そして、いままた新赤版が一〇〇〇点を迎えたのを機に、人間の理性と良心への信頼を再確認し、それに裏打ちされた文化を培っていく決意を込めて、新しい装丁のもとに再出発したいと思う。一冊一冊から吹き出す新風が一人でも多くの読者の許に届くこと、そして希望ある時代への想像力を豊かにかき立てることを切に願う。

（二〇〇六年四月）